# CHINESE MADE EASY

**3**

**Workbook**

## Simplified Characters Version

# 轻松学汉语（练习册）

Yamin Ma
Xinying Li

Joint Publishing (H.K.) Co., Ltd.

三联书店（香港）有限公司

# *Chinese Made Easy* ( *Workbook 3* )

Yamin Ma, Xinying Li

| | |
|---|---|
| Editor | Chen Cuiling, Luo Fang |
| Art design | Arthur Y. Wang, Yamin Ma, Xinying Li |
| Cover design | Arthur Y. Wang, Amanda Wu |
| Graphic design | Amanda Wu |
| Typeset | Lin Minxia, Amanda Wu |

Published by
**JOINT PUBLISHING (H.K.) CO., LTD.**
Rm. 1304, 1065 King's Road, Quarry Bay, Hong Kong

Distributed by
**SUP PUBLISHING LOGISTICS (HK) LTD.**
3/F., 36 Ting Lai Road, Tai Po, N.T., Hong Kong

First published February 2002
Second edition, first impression, August 2006

You can contact us via the following:
Tel: (852) 2525 0102, (86) 755 8343 2532
Fax: (852) 2845 5249, (86) 755 8343 2527
Email: publish@jointpublishing.com
http://www.jointpublishing.com/cheasy/

# 轻松学汉语 (练习册三)

编　著　马亚敏　李欣颖

| | |
|---|---|
| 责任编辑 | 陈翠玲　罗　芳 |
| 美术策划 | 王　宇　马亚敏　李欣颖 |
| 封面设计 | 王　宇　吴冠曼 |
| 版式设计 | 吴冠曼 |
| 排　版 | 林敏霞　吴冠曼 |

| | |
|---|---|
| 出　版 | 三联书店（香港）有限公司 |
| | 香港鲗鱼涌英皇道1065号1304室 |
| 发　行 | 香港联合书刊物流有限公司 |
| | 香港新界大埔汀丽路36号3字楼 |
| 印　刷 | 深圳市德信美印刷有限公司 |
| | 深圳市福田区八卦三路522栋2楼 |
| 版　次 | 2002年2月香港第一版第一次印刷 |
| | 2006年8月香港第二版第一次印刷 |
| 规　格 | 大16开 (210 x 280mm) 208面 |
| 国际书号 | ISBN-13: 978 · 962 · 04 · 2589 · 9 |
| | ISBN-10: 962 · 04 · 2589 · 8 |

©2002, 2006 三联书店（香港）有限公司

# Authors' acknowledgments

**We are grateful to all the following people who have helped us to put the books into publication:**

- Our publisher, 李昕, 陈翠玲 who trusted our ability and expertise in the field of Mandarin teaching and learning, and supported us during the period of publication
- Professor Zhang Pengpeng who inspired us with his unique and stimulating insight into a new approach to Chinese language teaching and learning
- Mrs. Marion John who edited our English and has been a great support in our endeavour to write our own textbooks
- 张谊生, Vice Dean of the Institute of Linguistics, Shanghai Teachers University, who edited our Chinese
- Arthur Y. Wang, 于霆, 万琼, 高燕, 张慧华, Annie Wang for their creativity, skill and hard work in the design of art pieces. Without Arthur Y. Wang's guidance and artistic insight, the books would not have been so beautiful and attractive
- 梁玉熙 who assisted the authors with the sound recording
- Our family members who have always supported and encouraged us to pursue our research and work on this series. Without their continual and generous support, we would not have had the energy and time to accomplish this project

# Contents 目 录

## 第四单元　买东西

## 第五单元　居住环境

# 第一单元　身　体

## 第一课　他的个子挺高的

**1** Match the pictures with the words in the box.

① 脚
② 牙
③ 舌头
④ 嘴巴
⑤ 耳
⑥ 头发
⑦ 皮肤
⑧ 鼻子
⑨ 眼睛
⑩ 手指头
⑪ 下巴
⑫ 脸

(a) 眼睛　(b) 鼻子

(c) 舌头　(d) 牙

(e) 下巴　(f) 嘴巴

(g) 皮肤　(h) 脚

(i) 耳朵　(j) 脸

(k) 手指头　(l) 头发

**2** Fill in the blanks with the words in the box.

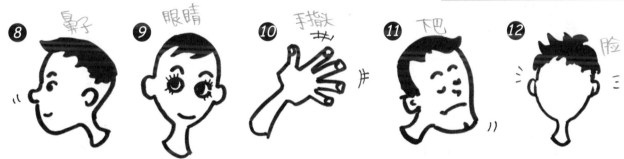

(1) 我用 ___眼睛___ 看书 。

(2) 我用 ___手___ 写字 。

(3) 我用 ___耳朵___ 听音乐 。

(4) 我用 ___嘴巴___ 说话 。

(5) 我用 ___脚___ 走路 。

| 脚 | 眼睛 | 耳朵 |
| 手 | 写字 | 走路 |
| 看书 | 说话 | 听音乐 |
| 踢足球 | 嘴巴 | 弹钢琴 |

1

**3** Match the pictures with the descriptions.

ⓐ

① ⓕ 它们身上有羽毛,有好多种颜色。它们会飞,喜欢吃小虫子。

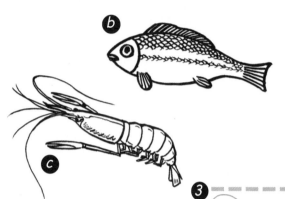
ⓑ

ⓒ

② ⓐ 它们喜欢吃鱼。因为它们的眼睛晚上也能看见东西,所以它们通常晚上"上班",白天睡觉。

ⓓ

③ ⓔ 它们是灰色的,身体又高又大,有大大的耳朵、长长的鼻子。它们的牙又长又白。

④ ⓑ 它们的身体是长长的,生活在水里,会游泳,冬天不怕冷。

ⓔ

⑤ ⓒ 它们生在水里,长在水里,有大的,也有小的,它们有很多脚。

ⓕ

⑥ ⓓ 它们身上的毛有白也有黑。它们的眼睛是黑色的。它们喜欢吃竹子,还喜欢睡觉。

**4** Give the meanings of the following phrases.

① 眼 ⎰ 远视眼 / 近视眼 / 对眼 / 眼球 / 眼皮

② 脚 ⎰ 脚跟 / 脚心 / 脚尖 / 脚印

③ 米 ⎰ 大米 / 虾米 / 花生米 / 米饭 Rice

④ 挺 ⎰ 挺好 / 挺不错

**5** Read the description. Write a similar one about a pet or a person.

姓名：王天城（男）

岁数：30 岁左右

身高：1.85 米

体重：82 公斤

肤色：棕色

眼睛：棕色

头发：黑色短发

长相：眼睛不太大、高鼻子、大嘴巴、大耳朵

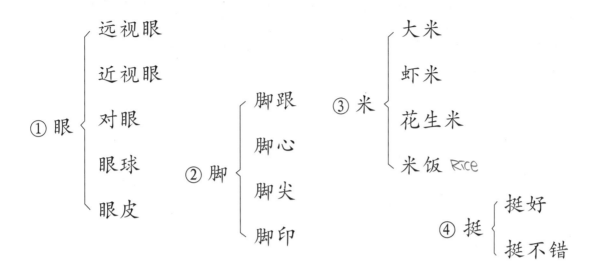

Warning:

请大家不要走近他。

请电： 2500 2600

姓名：龟
岁数：我们养了他二年多
身高：15 cm
体重：不知道
肤色：黄色
眼睛：黑色
头发：没有
长相：吃青菜、水果、大嘴巴、小鼻子、四个脚

## 6 Fill in the blanks with the words in the box.

多大　多高　多远　多重　多长　多少度　多长时间

(1) 今天气温有＿＿＿多少度＿＿＿？ (what is the temperature)

(2) 这小孩有＿＿＿多重＿＿＿？ (how heavy)

(3) 你家离学校有＿＿多远＿＿＿？ (how far)

(4) 你今年＿＿＿多大＿＿＿了？ (how old)

(5) 你弟弟有＿＿＿多高＿＿＿？ (how tall)

(6) 你们学校一节课有＿＿多长时间＿＿？ (how long)

(7) 这条裤子有＿＿＿多长＿＿＿？ (what is the length)

## 7 Choose the correct meaning for the dotted phrase.

(a) 耳 ear　(b) 目 eye

(1) 聋子的耳朵听不见。　(a) dragon　(b) deaf　(c) ear

(2) 最近有没有听到什么新闻？　(a) new　(b) inquiry　(c) news

(3) 盲人的眼睛看不见。　(a) blind　(b) dead　(c) short-sighted

(4) 你可以睁开眼睛了。　(a) kite　(b) open　(c) fight

(5) 小孩子一天的睡眠时间要10个小时。

(a) sleep　(b) asleep　(c) play

Fill here

**8** Reading comprehension. Tell if the following statements are true or false.

**❶** 张先生长得不高。他的头很大。他的头发是黑色的。他的眼睛很小，鼻子很大，嘴巴也很大。他的手不大，但是他的脚很大。他穿九号的鞋。他的肚子很大，因为他吃得多，从来都不运动。

**❷** 张太太的身高有1.70米。她的头发挺长的，是黑色的。她的眼睛挺大的，鼻子和嘴巴都挺小。她的皮肤很白。她长得很好看。

**❸** 他们的女儿，小云，今年九岁。她长得挺高的，有1.30米。她的头发不长也不短。她的眼睛很大，鼻子很高，嘴巴很小。她长得像她妈妈。

( )(1) 张先生长得挺高的。

( )(2) 张先生的头发是棕色的。

( )(3) 张先生不喜欢运动。

( )(4) 张太太个子不高。

( )(5) 张太太身高不到1.60米。

( )(6) 张太太有大眼睛、小鼻子、小嘴巴。

( )(7) 小云长得也挺好看的。

## 9 Translation.

(1) 我父母亲都是近视眼。

(2) 他爸爸是眼科医生。

(3) 妈妈过生日那天，我买了很多花给她。

(4) 她的家很大，有300多平方米。

(5) 我今年过生日，爸爸会买一部相机给我。

## 10 Put some features to the following faces and then describe them in Chinese.

Example

❶

❷

他的脸是方的。他的眼睛不大不小，鼻子挺高，嘴巴挺大的。他的耳朵不大。他长得挺不错。

# 阅读（一）　画鬼最易

## 1　Give the meaning of each word.

① 天 _____
　 无 _____

② 拿 _____
　 答 _____

③ 类 _____
　 楼 _____

④ 些 _____
　 紫 _____

⑤ 衫 _____
　 影 _____
　 彩 _____
　 形 _____

## 2　Translation.

(1) in ancient times

(2) What is the most difficult thing to draw?

(3) Ghost is the easiest thing to draw.

(4) do not understand

(5) everybody knows

(6) It is invisible.

## 3　Give the meanings of the following phrases.

① 鬼
　鬼地方
　鬼天气
　鬼话
　做鬼脸
　酒鬼

② 无
　无力
　无风
　无人
　无用
　无常
　无数

③ 些
　这些
　那些
　一些

④ 狗
　狗熊
　热狗

# 第二课　她长得很漂亮

## 1　Write the pinyin and meanings of the following words / phrases.

(1) 个子 ＿＿＿＿＿ ＿＿＿＿＿

(2) 漂亮 ＿＿＿＿＿ ＿＿＿＿＿

(3) 胖 ＿＿＿＿＿ ＿＿＿＿＿

(4) 眼镜 ＿＿＿＿＿ ＿＿＿＿＿

(5) 瘦 ＿＿＿＿＿ ＿＿＿＿＿

(6) 金黄色 ＿＿＿＿＿ ＿＿＿＿＿

(7) 一般 ＿＿＿＿＿ ＿＿＿＿＿

(8) 卷发 ＿＿＿＿＿ ＿＿＿＿＿

(9) 虽然 ＿＿＿＿＿ ＿＿＿＿＿

(10) 直发 ＿＿＿＿＿ ＿＿＿＿＿

## 2　Describe the following people.

**Example**　她看上去不到三十岁。

她长得挺不错的。 ＿＿＿＿＿＿＿＿＿＿＿＿

Useful Phrases:

(1) 不到二十岁

(2) 六十多岁

(3) 四十岁左右

(4) 二十岁以上

(5) 五十岁以下

(6) 长得漂亮／难看

(7) 长得一般

(8) 长得挺不错

(9) 长得很可爱

❶ 　❷ 　❸ 　❹

❺ 　❻ 　❼ 　❽

**3** Compare the two photos.

五年前　　　　　　　高明　　　　　高明　　　　　　现在

小花　　　　　　　　　　　　　　　　　　　　　　小花

( )(1) 小花五年前比现在瘦。

( )(2) 小猫五年前比现在胖。

( )(3) 五年前小花的头发比现在短。

( )(4) 高明五年前比现在胖一点儿。

( )(5) 五年前高明的头发比现在长很多。

( )(6) 五年前小花的高跟鞋没有现在尖。

**4** Answer the following questions.

(1) 你的英语老师长得什么样？

(2) 你爸爸的身高是多少？

(3) 你的体重是多少？

(4) 你的数学老师戴眼镜吗？

(5) 你长得像谁？

(6) 你妈妈的头发是卷发吗？

**5** Translation.

(1) I am two years older than my little sister.

(2) My father is much taller than me.

(3) My hair is a bit shorter than my mother's.

(4) My little brother is 2 kilograms heavier than me.

(5) My shoes are nicer than my older sister's.

**6** Fill in the blanks with Chinese characters.

**1**

他看上＿＿很老。他长得很难＿＿。他眼＿＿很小，鼻子又高＿＿大，嘴巴也很大。他头＿＿很少。他肚＿＿很大。他穿＿＿装、戴领带。他的西装不合身。

**2**

她＿＿得漂亮。她的脸是长的。她＿＿大眼睛、高鼻子、小嘴巴。她长得很瘦，个子又高。她的＿＿发不长，是卷发。她穿连＿＿裙和高跟鞋。

**3**

他看上去不到二十岁，像一个学＿＿。他的头发挺长的。他的脸是长的。他有大＿＿睛、大＿＿子、大嘴巴。他长得不胖。他穿汗衫和＿＿裤。

**4**

她看上去有五十岁。她长得又矮又胖，＿＿很丑。她的头发是卷发，不长＿＿不短。她的眼睛很小、鼻子很大、嘴巴也很大。她穿衬衫和裙＿＿。

## 7 Translation.

(1) 要是你作业做完了，就玩一会儿电脑游戏。

(2) 要是你唱歌唱得好，就可以参加学校的合唱队。

(3) 要是你想学弹钢琴，我就给你找一位老师。

(4) 要是你没有带午饭，你可以去小卖部买饭吃。

(5) 要是明天刮大风，我们就不能去打羽毛球了。

(6) 要是明天天晴，我们就去海边晒太阳。

(7) 要是明天有时间，我们就可以去故宫看看。

## 8 Match the sentences in column A with the ones in column B.

**A**

(1) 虽然吴老师很严格，

(2) 他虽然是弟弟，

(3) 她虽然学习很用功，

(4) 虽然今天气温是 -5℃，

(5) 虽然他父母亲都戴眼镜，

(6) 他虽然长得不好看，

(7) 他虽然长得不高，

**B**

(a) 但是他比哥哥长得高。

(b) 但是我不觉得冷。

(c) 但是同学们都很喜欢他。

(d) 但是心地好，有很多朋友。

(e) 但是打篮球打得很好。

(f) 但是每次考试都考得不太好。

(g) 但是他的视力很好。

**9** Match the people with the descriptions.

**1** 这个女人又高又瘦。她穿毛衣、裙子和皮鞋。她长得挺好看。

**2** 这个男人不胖不瘦，不难看。他的头发很短。他穿运动衣和球鞋。

**3** 这个男人长得不错。他穿条子汗衫、长裤和皮鞋。

**4** 这个女人长得很矮，也很胖。她的头发很多，也很黑，是卷发。

**5** 这个女学生正在画画。她长得很瘦。她的头发很长，是直发。

**6** 他是医生。他长得不瘦。他的头发很少。他有胡子。

**7** 这个男人穿毛衣、长裤和皮鞋。他戴帽子。他看上去五十多岁。

**8** 这个男人穿西装、戴领带。他长得不胖不瘦。他看上去五、六十岁，像个大学老师。

**10** Read the following notices. Answer the questions.

(1) 七月二十八日晚上八点，学校有什么活动?

(2) 要是你想看排球比赛，你哪天要去学校?

(3) 暑假期间，学生们哪天可以用学校的电脑?

(4) 要是你参加了学校的国画班，你哪天上课? 在哪儿上课?

(5) 要是你参加了学校的篮球队，你哪天有比赛?

**11** Choose the best answer.

(1) 你觉得你长得胖还是瘦？

(a) 太胖　(b) 胖　(c) 正好　(d) 瘦　(e) 太瘦

(2) 你觉得你长得高还是矮？

(a) 太高　(b) 高　(c) 正好　(d) 太矮

(3) 你觉得你自己长得好看吗？

(a) 很好看　(b) 一般　(c) 不好看　(d) 很丑

(4) 你长得像谁？　(a) 像爸爸　(b) 像妈妈　(c) 谁也不像

(5) 你身体好吗？　(a) 很好　(b) 一般　(c) 不太好　(d) 不好

**12** Give the meanings of the following phrases.

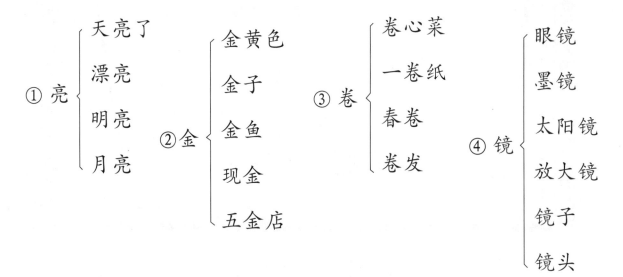

**13** Find a family photo and then describe each member of the family. You may comment on whether they look like each other.

Useful Phrases:

个子　长　得　像　高　矮　胖　瘦　好看　漂亮

一般　戴眼镜　头发　直发　卷发　可爱

# 阅读（二）　杨布打狗

**1**　Answer the questions.

(1) 杨布出门的时候穿的是什么颜色的衣服？

(2) 杨布为什么从他朋友那儿借衣服穿？

(3) 杨布回家时，他的狗为什么不认识他了？

**2**　Give the meaning of each word.

① 杨 _____　场 _____

② 成 _____　城 _____

③ 错 _____　借 _____

④ 友 _____　布 _____

**3**　Translation.

(1) one day

(2) He borrowed a set of clothes from a friend.

(3) The dog thought he was a stranger.

(4) As he was saying, he was about to beat the dog.

(5) think it over

(6) It turned into a black dog on its return.

**4**　Give the meanings of the following phrases.

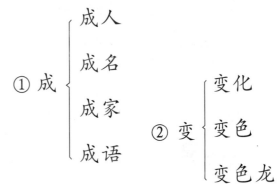

① 成 ⎰ 成人　成名　成家　成语

② 变 ⎰ 变化　变色　变色龙

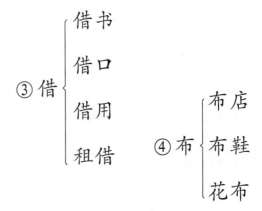

③ 借 ⎰ 借书　借口　借用　租借

④ 布 ⎰ 布店　布鞋　花布

**15**

## 1　Write the pinyin and meanings for the following phrases.

(1) 生病＿＿＿＿＿＿＿＿＿＿＿＿＿

(2) 舒服＿＿＿＿＿＿＿＿＿＿＿＿＿

(3) 头痛＿＿＿＿＿＿＿＿＿＿＿＿＿

(4) 嗓子疼＿＿＿＿＿＿＿＿＿＿＿＿＿

(5) 发烧＿＿＿＿＿＿＿＿＿＿＿＿＿

(6) 咳嗽＿＿＿＿＿＿＿＿＿＿＿＿＿

(7) 感冒＿＿＿＿＿＿＿＿＿＿＿＿＿

(8) 严重＿＿＿＿＿＿＿＿＿＿＿＿＿

(9) 喝水＿＿＿＿＿＿＿＿＿＿＿＿＿

(10) 病假条＿＿＿＿＿＿＿＿＿＿＿＿＿

## 2　Look at the layout of a hospital below.

### 京西医院

| | | | | |
|---|---|---|---|---|
| 三楼 | 男病房 | 女病房 | 手术室 | 男／女厕所 |
| 二楼 | 妇科 | 手术室 | 牙科 | 眼科 |
| 一楼 | 儿科 | 外科 | X-光室 | 实验室 |

(　)(1) 小孩子看病在一楼。

(　)(2) 妇科在二楼。

(　)(3) 二楼、三楼都有手术室。

(　)(4) X-光室在厕所隔壁。

(　)(5) 京西医院里没有眼科。

(　)(6) 男病房在女病房的楼下。

(　)(7) 外科在实验室隔壁。

(　)(8) 妇科在儿科的楼上。

**3** Make new dialogues.

Example

A: 你哪儿不舒服？

B: 我头痛。

A: 你应该多喝水、少说话、多休息。

头痛

❶ 肚子疼

❷ 嗓子疼

❸ 感冒

❹ 咳嗽

❺ 牙疼

**ADVICE**

—多睡觉

—不要去人多的地方

—多穿点儿衣服

—少说话

—不要吃冷的东西

—可以吃点儿面条

—多休息

—在家休息几天

—多喝水

**4** Translation.

(1) 对眼

(2) 近视眼

(3) 远视眼

(4) 老花眼

(5) 外科医生

(6) 妇科医生

(7) 儿科医生

(8) 眼科医生

(9) 牙科医生

(10) 皮肤科

(11) 流行病

(12) 流感

**5** Match the condition in column A with the suggestion in column B.

### A

(1) 你要是牙疼，

(2) 你要是发烧，

(3) 你要是拉肚子，

(4) 你要是头疼，

(5) 你要是嗓子疼，

(6) 你要是觉得冷，

### B

(a) 就应该多喝水，多休息。

(b) 就应该去看牙医。

(c) 就应该少说话。

(d) 就应该多穿点儿衣服。

(e) 就不应该喝牛奶。

(f) 就应该吃头疼药。

**6** Circle the phrases. Write them out.

| 嗓 | 子 | 感 | 到 | 病 |
|---|---|---|---|---|
| 舒 | 服 | 冒 | 过 | 假 |
| 头 | 发 | 烧 | 面 | 条 |
| 牙 | 疼 | 现 | 包 | 子 |
| 严 | 重 | 要 | 一 | 些 |

(1) ―――――     (6) ―――――

(2) ―――――     (7) ―――――

(3) ―――――     (8) ―――――

(4) ―――――     (9) ―――――

(5) ―――――     (10) ―――――

**7** Translation.

(1) 这些衣服我都不喜欢。

(2) 有些人生了病喜欢吃中药。

(3) 这些书我都看过了。

(4) 那些包都是皮的。

(5) 我的一些朋友是中国人。

(6) 那些笔是我爸爸的。

(7) 这些小人书是我弟弟的。

(8) 这些茶叶是我从中国买来的。

## 8　Reading comprehension. Answer the questions.

**王金宝**　外科医生　ⓐ

电话： 2674 3865（办）

手机： 9435 8864

看病时间： 每星期一～星期五
全天 8:30-18:30
周末休息

**马美心**　妇科医生　ⓑ

电话： 2864 7711（办）

手机： 9138 2200

看病时间： 每周二、四、六
上午 8:00-12:00
下午 2:00-6:30
星期日及公共假日
上午 10:00-13:00

**张清生**　儿科医生　ⓒ

（英国皇家医学院）

电话： 2716 2020（办）

手机： 9003 8829

看病时间： 星期六、日
上午 9:00-13:30

**史伟明**　牙科医生　ⓓ

电话： 2435 8200（办）

手机： 9211 7788

看病时间： 每周一、三、五
上午 9:00-12:30

(1) 小明奶奶的脚疼了好几天了。她要去看哪个医生？她可不可以周末去看医生？

(2) 王先生要看牙医。他去看哪位医生？他哪天不可以去？

(3) 马美心是儿科医生吗？她中秋节这天上班吗？

(4) 哪位医生周末工作？哪位医生周末不工作？

(5) 哪位医生星期一到星期五不工作？

**9** Reading comprehension. Answer the questions.

王老师：

　　夏方昨天晚上开始发烧，今天上午我要带她去看医生，所以她不能去上学了。请病假一天。多谢。

夏方的妈妈

2006 年 2 月 9 日

(1) 这张病假条是谁写的？

(2) 夏方今天为什么不能上学？

(3) 夏方要请几天病假？

(4) 她从什么时候开始发高烧？

**10** Choose the correct meaning for the dotted word / phrase.

(a) 口 mouth    (b) 月 flesh

(1) 哑巴就是不能说话的人。　　(a) mute    (b) Asia    (c) stutter

(2) 这个电影非常吓人，小孩子最好不要看。

(a) person    (b) scary    (c) below

(3) 他昨晚肚子疼，还吐了。　　(a) soil    (b) earth    (c) vomit

(4) 他爷爷有心脏病。　　(a) heart disease    (b) lung disease    (c) cancer

(5) 不要吵了，爸爸正在打电话。　　(a) make a noise    (b) small    (c) less

**11** Reading comprehension.

王然

True or false?

( )(1) 2 月 14 日王然没去上学。

( )(2) 2 月 14 日他也没吃晚饭。

( )(3) 2 月 15 日他去上学了。

( )(4) 2 月 15 日他还发烧。

( )(5) 2 月 15 日他自己去看医生了。

( )(6) 2 月 16 日他感觉好多了。

( )(7) 2 月 16 日他不发烧了，但还有一点儿咳嗽。

( )(8) 2 月 17 和 18 日他去上学了。

2001 年 2 月 14 日星期三　天气：阴

昨天很暖和。我以为今天的气温会跟昨天的一样，所以没有穿外套就去上学了。放学回家以后，我感到头疼，全身发冷，我发烧了。吃晚饭时，我不想吃东西。我八点钟就睡觉了。

2001 年 2 月 15 日星期四　天气：雨

今天天气很冷，又下雨，我没有去上学。早上妈妈写了一张病假条给张老师。我还发烧，又开始咳嗽。妈妈下班后带我去看了医生。医生给我开了一些药，他叫我在家休息几天。

2001 年 2 月 16 日星期五　天气：雨

我吃了药，觉得好多了，不发烧了，咳嗽也好一点儿了。妈妈说我再休息两天，下星期一就可以去上学了。

# 阅读（三）　铁棒磨针

## 1　Translation.

(1) half done

(2) He put down his book and then went out to play.

(3) to grind an iron rod on a grindstone

(4) How can this be possible?

(5) after a considerable period of time

(6) from that day on

(7) Later he became the greatest poet in Chinese history.

## 2　Learn the following facts.

(1) 汉代（公元前 206 年－公元 220 年）

(2) 唐代（公元 618 年－ 907 年）

(3) 元代（公元 1271 年－ 1368 年）

(4) 明代（公元 1368 年－ 1644 年）

(5) 清代（公元 1644 年－ 1911 年）

## 3　Give the meanings of the following phrases.

① 棒 { 木棒　铁棒　棒球

③ 磨 { 磨刀　磨光　磨牙

② 诗 { 诗人　诗歌　唐诗

④ 久 { 天长日久　不久　好久不见了

## 4　Write the pinyin and meaning of each word.

① { 很 ＿＿＿＿　根 ＿＿＿＿　银 ＿＿＿＿　跟 ＿＿＿＿

② { 工 ＿＿＿＿　功 ＿＿＿＿

③ { 易 ＿＿＿＿　踢 ＿＿＿＿

④ { 奇 ＿＿＿＿　骑 ＿＿＿＿

⑤ { 里 ＿＿＿＿　理 ＿＿＿＿

## 第四课　我住院了

**1**  Categorize the words and phrases in the box.

| 头 | 脚 | 发高烧 | 舌头 | 手指头 | 头疼 |
| 手 | 脚疼 | 止痛片 | 耳朵 | 肚子疼 | 咳嗽 |
| 脚指头 | 嘴巴 | 拉肚子 | 西药 | 眼药水 | 止咳药水 |
| 脸 | 眼睛 | 退烧药 | 鼻子 | 嗓子疼 | 中草药 |

| Parts of the body | Symptoms | Medicine |
| --- | --- | --- |
| 头 | 发高烧 | 止咳药水 |

**2**  Translation.

(1) 等你出院以后，我会帮你补习功课。

(2) 等我上中学时，就可以自己坐校车上学了。

(3) 等你病好了以后，我们就可以一起出去玩了。

(4) 等你考完试以后，就可以天天去踢球了。

(5) 等你做完作业以后，我们一起玩电脑游戏。

(6) 等天气好转以后，我们就可以去外面打羽毛球了。

## 3 Match the Chinese with the English.

(1) 退烧药          (a) Chinese medicine

(2) 止咳药水        (b) tablet

(3) 打针            (c) pain-killer

(4) 补药            (d) antipyretic

(5) 药片            (e) eyedrops

(6) 中药            (f) cough syrup

(7) 西药            (g) Western medicine

(8) 止痛药          (h) injection

(9) 眼药水          (i) tonic

## 4 Circle the phrases. Write them out.

| 重 | 量 | 体 | 温 | 着 |
|---|---|---|---|---|
| 止 | 退 | 育 | 度 | 急 |
| 咳 | 动 | 烧 | 烤 | 补 |
| 药 | 手 | 中 | 药 | 房 |
| 水 | 术 | 关 | 心 | 康 |

(1) _____      (5) _____

(2) _____      (6) _____

(3) _____      (7) _____

(4) _____      (8) _____

## 5 Translation.

(1) 别在房间里踢球！

(2) 别在新书上写字！

(3) 别在这里骑自行车！

(4) 你除了想去北京以外，还想去别的地方吗？

(5) 你还想吃点儿别的东西吗？

(6) 你除了要买裤子以外，还要买别的衣服吗？

(7) 你做完数学作业以后，还有别的作业要做吗？

(8) 你除了喜欢运动以外，还有别的爱好吗？

**6** Find the opposites.

(1) 问
(2) 胖
(3) 直发
(4) 住院
(5) 有
(6) 着急
(7) 难
(8) 不同
(9) 漂亮

(a) 卷发
(b) 回答
(c) 瘦
(d) 无
(e) 出院
(f) 难看
(g) 一样
(h) 容易
(i) 放心

**7** Match the pictures with the Chinese.

(a) 眼药水
(b) 感冒药片
(c) 止咳糖浆
(d) 打针
(e) 中草药
(f) 止痛药片

**8** Choose the correct meaning for the dotted phrase.

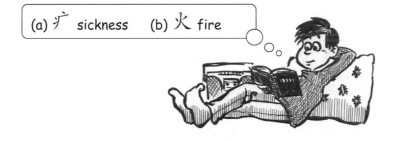

(a) 疒 sickness    (b) 火 fire

(1) 他弟弟出水痘了，不能去上学。

(a) chicken pox    (b) pain    (c) disease

(2) 常晒太阳容易得皮肤癌。 (a) lung cancer    (b) skin cancer    (c) sunburn

(3) 开刀后的第三天，他的刀口发炎了。

(a) fire    (b) open    (c) inflammation

(4) 这个周末我们去李明家烧烤。 (a) barbeque    (b) burn    (c) grill

(5) 针灸可以止痛。 (a) needle    (b) acupuncture    (c) injection

**9**    Fill in the blanks with the words/phrases in the box. Each word can only be used once.

(1) 小文这几天＿＿＿＿，不能吃东西，只能喝＿＿＿＿。

(2) 小雷今天 ＿＿＿＿、＿＿＿＿。

(3) 张小姐这几天 ＿＿＿＿，不能说话。

(4) 他做功课做了五个小时，他 ＿＿＿＿了。

(5) 天气变化太大，人们容易得 ＿＿＿＿。

(6) 他这次感冒挺严重的，＿＿＿＿了一个多月。

(7) 小山吃饭吃得太 ＿＿＿＿，＿＿＿＿了。

(8) 你发烧了。让我给你 ＿＿＿＿体温。

> (a) 嗓子疼　(b) 38℃　(c) 牛奶　(d) 牙疼　(e) 咳嗽　(f) 量一下
>
> (g) 肚子疼　(h) 快　(i) 感冒　(j) 头疼　(k) 发烧

**10**    Finish the following sentences.

(1) 因为他生病了，所以 ＿＿他今天没有去上学＿＿。

(2) 因为我吃了止痛药，所以今天下午我觉得＿＿＿＿＿＿。

(3) 因为她今天嗓子疼，所以 ＿＿＿＿＿＿＿＿。

(4) 因为我弟弟脚疼，所以 ＿＿＿＿＿＿＿＿。

(5) 因为他发高烧，所以 ＿＿＿＿＿＿＿＿。

(6) 因为王方吃东西吃得不多，所以 ＿＿＿＿＿＿＿＿。

(7) 因为他这次生病动了手术，所以 ＿＿＿＿＿＿＿＿。

(8) 因为他怕打针，所以 ＿＿＿＿＿＿＿＿。

## 11 Fill in the form about yourself.

| 姓名: | | 男 □ 女 □ | |
|---|---|---|---|
| 出生日期: | | 年 月 日 | |
| 身高: | 米 | 体重: | 公斤 |
| 有没有住过院? 有 □ 没有 □ | | | |
| 有没有动过手术? 有 □ 没有 □ | | | |
| 是不是在服药? 是 □ 否 □ | | | |

## 12 Match the Chinese with the English.

(1) 对人和气    (a) generous

(2) 关心别人    (b) enthusiastic

(3) 热心    (c) be kind to people

(4) 心地好    (d) mean

(5) 小气    (e) narrow-minded

(6) 大方    (f) care for others

(7) 小心眼儿    (g) good-natured

## 13 Translation.

亲爱的家正: 你好!

　　你的病好一点儿了吗? 现在感觉怎么样? 还发烧吗? 医院里的大夫、护士对你好吗? 医院里的饭好不好吃? 你白天在医院里干什么? 我们周末会来看你。你别着急, 好好养病。等你病好了以后, 我们会帮你补习功课。

　　祝你早日康复!

　　　　　　你的朋友: 杨光、张英

　　　　　　2006 年 2 月 17 日

杨光、张英：你们好！

　　谢谢你们的卡片。我在医院已经住了六天了，感觉好多了。有时候我觉得挺没有意思。我白天在床上看书、听音乐。真想回学校上课，跟你们一起玩。这里的医生和护士对我都很好。医院里的饭不太好吃，但也不太难吃。

好了，不多写了。

祝你们学习好，身体好！

唐家正

2006 年 2 月 19 日

(1) 谁住院了？

(2) 他在医院里已经住了几天了？

(3) 他白天在医院里做什么？

(4) 他想不想回学校上课？

(5) 医院里的饭菜好吃吗？

(6) 医院里的大夫和护士对他怎么样？

(7) 他是几号住院的？

**15** Read the passages below. Then write your comments.

① 我经常会感冒，一般每两个月得一次感冒。通常我不会去看医生，因为我觉得吃药没有用。我觉得只要多喝水、多休息，过几天就会好的。

② 我一般不感冒。感冒的时候会觉得全身不舒服，不想吃东西。我有时也会发烧，但是烧得不高，一般38℃左右。通常我不去看西医，我会去中药房买一些中药吃。我觉得中药比西药有用。

③ 我一生病就去看医生。因为我不知道我的病严重不严重，只有医生知道。我不怕吃药。每次生病我一吃药就好。

**16** Fill in the blanks with "从"、"给"、"在"、"为"。

(1) 有位画师＿＿＿＿齐王画画儿。

(2) 杨布＿＿＿＿朋友家借了一套衣服。

(3) 妈妈＿＿＿＿我买了一套中国成语故事书。

(4) 昨天他打了一个电话＿＿＿＿我。

(5) 老奶奶＿＿＿＿磨刀石上磨铁棒。

(6) 他不＿＿＿＿家。他出去玩了。

(7) 医生今早＿＿＿＿他动了手术。

(8) 你千万别＿＿＿＿功课着急。出院以后我会帮你补课。

# 生词

第一课　挺　下巴　耳朵　眼睛　嘴巴　舌头　皮肤　肚子
手指头　身高　体重　1.82米（一米八二）　长相

鬼　齐王　回答　狗　明白　这些　看见　要是　看出来
无形无影

第二课　漂亮　钢琴家　胖　瘦　矮　眼镜　卷发　金黄色　直
虽然……，但是……　一般　可爱

杨　布　湿　借　以为　生人　生气　变成
马上　认出

第三课　生病　舒服　头痛　嗓子　疼　咳嗽　发烧　发现　严重
感冒　开药　一些　喝　病假条

铁棒　磨刀石　唐代　诗人　李白　放下　根　好奇
干什么　天长日久　道理　于是　从那天起　后来

第四课　住院　出院　帮　量体温　重感冒　退烧药（片）
止咳药水　动手术　关心　刀口　千万　别
为……着急　补课　养病　祝　康复　安心

# 总复习

1.  Parts of the body and appearance

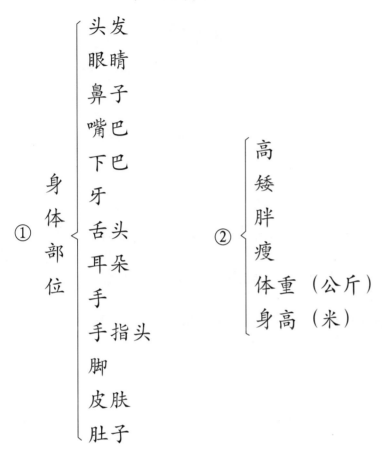

① 身体部位　头发　眼睛　鼻子　嘴巴　下牙　舌头　耳朵　手　手指头　脚　皮肤　肚子

② 高　矮　胖　瘦　体重（公斤）　身高（米）

③ 长相　漂亮　好看　一般　卷发　直发　戴眼镜　圆脸　长脸　方脸

2.  Illness

① 生病　（重）感冒　不舒服　头痛　牙疼　嗓子疼　肚子疼　咳嗽　发烧　拉肚子

② 打针　吃药　量体温　开刀　动手术　住院　出院

③ 药　止痛药片　止咳药水　退烧药　眼药水　中草药　西药

④ 服药
- 每天三次
- 每次一片（一格）
- 每四小时吃一次
- 饭前吃（饭后吃）

⑤ 短语
- 多喝开水
- 多睡觉
- 多休息
- 好好养病
- 千万别着急
- 祝你早日出院
- 帮你补课

3. Opposites

(1) 提问→回答　　(2) 着急→安心　　(3) 高→矮　　(4) 胖→瘦

(5) 生病→康复　　(6) 住院→出院　　(7) 漂亮（美）→丑

(8) 好看→难看　　(9) 舒服→难过　　(10) 直→卷　　(11) 无→有

4. Conjunction

虽然……，但是……

　　虽然他吃了一个星期的药，但是病还是没有好。

5. Grammar

(1) 有 (estimation)

　　(a) 他的身高有 1.8 米，体重有 75 公斤。

　　(b) 北京离上海有 4,000 公里远。

(2) Repetition of adjectives for emphasis

　　大大的眼睛、高高的鼻子

(3) "的" phrase

　　他的头发是黑色的。

(4) Comparison with complements

(a) 哥哥比我大五岁。

(b) 他比我高一头。

(c) 爸爸比妈妈高一点儿。

(d) 他比我胖多了。

(e) 今天比昨天热多了。

(5) 别 ⎰ don't　　别说话了！老师在上课。
　　　 ⎱ other　　还想吃别的东西吗？

6. Radicals

目　月　矢　疒　火　犭　木　衤

7. Questions and answers

(1) 你有多高？（你身高是多少？）　1.65米（一米六五）。

(2) 你有多重？（你体重是多少？）　45公斤。

(3) 你长得像谁？　像妈妈。

(4) 你动过手术吗？　没有。

(5) 你住过院吗？　住过一次。

(6) 你生病的时候是去看医生，还是自己买药吃？　看医生。

(7) 你的头发是什么颜色的？　黑色的。

(8) 你的头发是直发还是卷发？　直发。

(9) 你家养小动物吗？　我养了一条狗。

# 测验

**1** Write the parts of the body in Chinese.

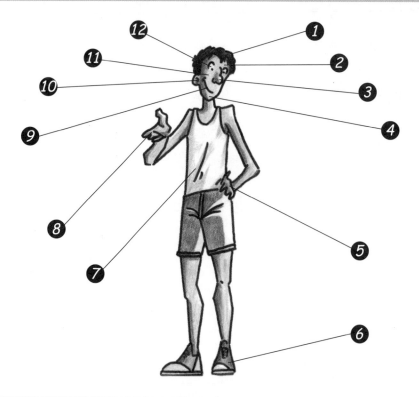

**2** Find the odd one out.

(1) 身高　体重　长相　一些　　(4) 直发　卷发　头发　发烧

(2) 胖　　矮　　瘦　　狗　　　(5) 唐诗　打针　吃药　开刀

(3) 头疼　湿　感冒　牙痛　　　(6) 火药　中药　西药　药片

**3** Find the opposites.

(1) 高 _____　(6) 难看 _____

(2) 胖 _____　(7) 着急 _____

(3) 有 _____　(8) 住院 _____

(4) 问 _____　(9) 舒服 _____

(5) 丑 _____

出院　漂亮　美　无

瘦　难过　矮　答

安心

**34**

## 4 Reading comprehension.

**a** 止痛药

每四小时吃一次

成人每次吃 1 − 2 片

小孩吃半片

**b** 止咳药水

每日喝三次

每次喝一格

饭前喝

**c** 退烧药水

每四小时喝一次

每次喝一格

每天最多喝四次

要是烧不退，就应

该马上去看医生。

True or false?

( )(1) 止痛药每三小时吃一次。

( )(2) 止痛药小孩每次吃一片。

( )(3) 止咳药水每天喝三格。

( )(4) 退烧药水每次喝一格，一天最多喝四次。

## 5 Answer the following questions.

(1) 你有多高？

(2) 你长得像谁？

(3) 你最近生过病吗？什么病？

(4) 你住过院吗？

(5) 你生病时吃中药还是西药？

(6) 你家养小动物吗？养了什么
    动物？

(7) 你家里人谁戴眼镜？

## 6 Translation.

(1) How tall is your dad?

(2) How far is the bank from your home?

(3) I look like my mum.

(4) My elder sister is two years older than me.

(5) He is much taller than me.

(6) Today is much colder than yesterday.

## 7 True or false?

( )(1) 感冒时你应该多休息。

( )(2) 要是你拉肚子，就应该喝牛奶。

( )(3) 有些人长得太胖是因为他们吃得太多，又不运动。

( )(4) 开刀就是动手术。

( )(5) 嗓子疼时要多说话，多吃东西。

( )(6) 游泳对身体很好。

( )(7) 李白是中国唐代的伟大诗人。

( )(8) "无"就是"没有"的意思。

## 8 Describe their appearance and clothes.

❶

❷

## 9 Guided writing.

(1) Write a sick-leave note to your teacher, Mr. Wang, include the following:

— give symptoms (at least 2)

— say when you started to feel sick

— ask for one day sick-leave

— write proper beginning and ending

(2) Write an account of your recent illness, mention:

— when you started to feel sick

— what symptoms you had (at least 2)

— what medicine you took

— how long it took to recover

**a**

**止痛药**

快速止痛,主治头痛、感冒、伤风等症。每次一至两片,每日三次。口服。

**b**

**喉宝**

专治嗓子疼。由中国广西制药厂研制。口服。每次两片,嗓子疼时吃。

**c**

**小儿退烧良药**

专门为儿童研制的退烧药。退烧快。每四小时喝一格。每天最多喝四次。如果高烧不退,应该马上去看医生。

**d**

**迅速止泻**

专治由肠胃不适、饮食不干净而引起的拉肚子。每次吃一片,日服三次。

**e**

**止痛止痒药膏**

专治由蚊虫叮咬而引起的痛、痒等症。用法:外用,涂于患处。

(1) 你要是头痛,应该买哪种药?

(2) 要是你拉肚子,应该买哪种药?

(3) 拉肚子药怎么服用?

(4) "止痛止痒药膏"可以口服吗?

(5) 要是你嗓子疼,应该买哪种药?

(6) 要是你小妹妹发烧了,她应该吃什么药?

(7) 服用"小儿退烧良药"时,每天最多可以喝几次?

(8) 哪种药是药水?

# 第二单元　中、西菜式

## 第五课　中国的货币叫人民币

**1** Match the currency with the country.

(1) 美元　　　　(a) 中国

(2) 人民币　　　(b) 澳大利亚

(3) 加元　　　　(c) 美国

(4) 日元　　　　(d) 加拿大

(5) 澳元　　　　(e) 意大利

(6) 欧元　　　　(f) 英国

(7) 英镑　　　　(g) 日本

**2** Write the prices in Chinese.

(1) ￥3.64　三块六毛四（分）

(2) ￥12.05 ＿＿＿＿＿＿＿

(3) ￥76.40 ＿＿＿＿＿＿＿

(4) ￥121.00 ＿＿＿＿＿＿＿

(5) ￥274.12 ＿＿＿＿＿＿＿

(6) ￥526.90 ＿＿＿＿＿＿＿

(7) ￥9.00 ＿＿＿＿＿＿＿

**3** Write the pinyin and meanings for the following phrases.

(1) 货币 ＿＿＿＿＿＿　＿＿＿＿＿＿

(2) 花费 ＿＿＿＿＿＿　＿＿＿＿＿＿

(3) 儿童 ＿＿＿＿＿＿　＿＿＿＿＿＿

(4) 成人 ＿＿＿＿＿＿　＿＿＿＿＿＿

(5) 票价 ＿＿＿＿＿＿　＿＿＿＿＿＿

(6) 九角 ＿＿＿＿＿＿　＿＿＿＿＿＿

(7) 十元 ＿＿＿＿＿＿　＿＿＿＿＿＿

(8) 如果 ＿＿＿＿＿＿　＿＿＿＿＿＿

**4** Circle the right word.

(1) 我花了 2000（块／快）港（币／布）买了一部手机。

(2) 电影（要／票）多少钱一张？

(3) 请问，儿（量／童）医院在哪儿？

(4) 每个星期妈妈都给我 100（无／元）钱。

(5) 香港的生（话／活）费用很高。

**38**

**5** Fill in the blanks with the measure words in the box.

| 张 位 本 个 件 包 套 块 条 部 只 |

(1) 一 ＿＿ 历史书

(2) 三 ＿＿ 文房四宝

(3) 两 ＿＿ 裤子

(4) 一 ＿＿ 衬衫

(5) 一 ＿＿ 生日卡

(6) 一 ＿＿ 电脑

(7) 一 ＿＿ 手表

(8) 一 ＿＿ 茶叶

(9) 四 ＿＿ 月饼

(10) 五 ＿＿ 粽子

(11) 两 ＿＿ 电影票

(12) 一 ＿＿ 牛仔裤

(13) 一 ＿＿ 运动服

(14) 一 ＿＿ 大衣

(15) 十 ＿＿ 熊猫

(16) 一 ＿＿ 狗

(17) 一 ＿＿ 新教师

(18) 一 ＿＿ 电话

(19) 三 ＿＿ 猫

(20) 一 ＿＿ 图书馆

(21) 一 ＿＿ 围巾

**6** Match the words in column A with the ones in column B.

**A**

(1) 去礼堂

(2) 去电影院

(3) 去学校

(4) 去饭店

(5) 去海边

(6) 去游泳池

(7) 去书店

(8) 去体育用品商店

**B**

(a) 上学

(b) 开会

(c) 晒太阳

(d) 买书

(e) 看电影

(f) 买运动服

(g) 吃晚饭

(h) 游泳

**7** Find the phrases. Write them out.

| 日 | 本 | 很 | 少 | 百 | 动 |
| 港 | 元 | 国 | 家 | 货 | 物 |
| 千 | 万 | 人 | 民 | 币 | 发 |
| 小 | 童 | 钱 | 大 | 花 | 电 |
| 成 | 如 | 医 | 学 | 费 | 影 |
| 人 | 果 | 生 | 院 | 车 | 票 |

(1) ＿＿＿   (6) ＿＿＿

(2) ＿＿＿   (7) ＿＿＿

(3) ＿＿＿   (8) ＿＿＿

(4) ＿＿＿   (9) ＿＿＿

(5) ＿＿＿   (10) ＿＿＿

**8** Study the dialogue below. Make a new dialogue.

| 电影《水上世界》 | 场 次 | |
| --- | --- | --- |
| 成人票价： ￥25.00 | 11:30 | 5:20 |
| 儿童票价： 半价 | 1:20 | 7:30 |
| 日期： 6月9日－7月10日 | 3:30 | 9:20 |

**Task**

电影《我的父亲、母亲》

场次： 9:00　12:00

　　　 15:00　18:00

成人票价： ￥30.00

儿童票价： ￥20.00

日期： 7月15日－8月15日

唐伟光　我要买《水上世界》的票。

服务员　要哪一场的？

唐伟光　晚上七点半的。

服务员　要前面一点的座位还是后面一点的？

唐伟光　后面一点的。

服务员　18排5号，可以吗？

唐伟光　可以。多少钱一张？

服务员　成人25块，儿童半价。你要买几张？

唐伟光　两张成人票。

服务员　一共50块。

**9** Give the meaning of each word.

① 块 _____　快 _____

② 果 _____　课 _____

③ 量 _____　童 _____

④ 布 _____　币 _____

⑤ 界 _____　价 _____

⑥ 要 _____　票 _____

⑦ 成 _____　城 _____

⑧ 剧 _____　刷 _____

**10** Translation.

(1) 昨天我花了128块钱，买了一件长大衣。

(2) 爸爸不让我花太多的时间看电视。

(3) 今天作业很少，我只花了20分钟就做完了。

(4) 我花了300块钱给爸爸买了一条领带。

(5) 母亲节那天我花了250块钱给妈妈买了一件毛衣。

**11** Give the meanings of the following phrases.

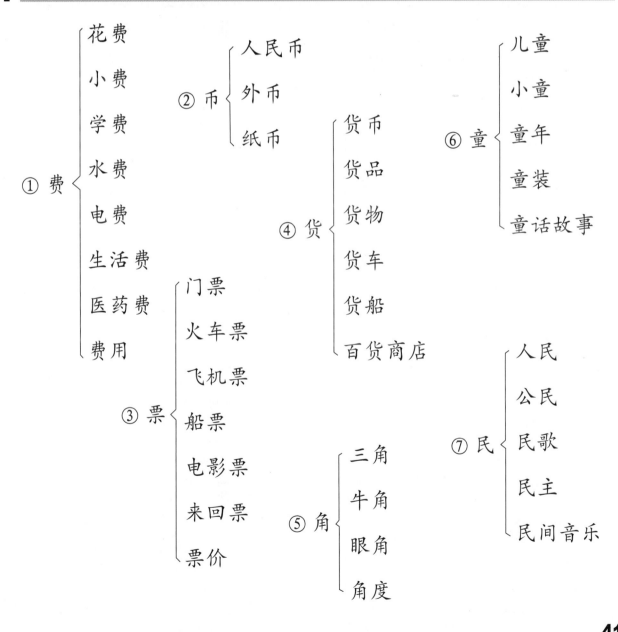

① 费：花费、小费、学费、水费、电费、生活费、医药费、费用

② 币：人民币、外币、纸币

③ 票：门票、火车票、飞机票、船票、电影票、来回票、票价

④ 货：货币、货品、货物、货车、货船、百货商店

⑤ 角：三角、牛角、眼角、角度

⑥ 童：儿童、小童、童年、童装、童话故事

⑦ 民：人民、公民、民歌、民主、民间音乐

**1** 张太太：我想买大衣。

**2** 服务员：您要长大衣还是短大衣？

**3** 张太太：太长的、太短的，我都不要。

**4** 服务员：您试一下这件绿色的。

**5** 张太太：亲爱的，我穿这件好看吗？

**6** 张先生：

**7** 张太太：

**8** 服务员：

**9** 张太太：

**10** 服务员：

**11** 张太太：

**12** 服务员：

Useful Phrases:

大衣

长大衣

短大衣

连衣裙

太长的

太短的

试穿一下

好看

非常漂亮

别的式样

什么颜色

同样的颜色

多少钱

## ❶ 中、小学数学班

时间：上午：10:00 — 11:00

　　　　　　11:00 — 12:00

　　　下午：2:00 — 3:00

　　　　　　4:00 — 5:00

教师：大学生及老师

学费：每小时150元港币

地点：香港数学中心

**?** Answer the questions.

(1) 谁可以参加数学班？

(2) 如果你每天3:30分放学，可以上哪一班数学课？

(3) 教数学的老师是谁？

(4) 数学班在哪儿上课？

## ❷ 汉语暑期班

班级：初级班、中级班、高级班

上课时间：

<u>初级班</u>：周一、三 8:00 — 9:30 AM

<u>中级班</u>：周二、五 10:00 — 11:30 AM

<u>高级班</u>：周四、六 11:00 — 12:30 AM

学期：六周

教师：北京大学中文系老师

学费：每期人民币600元

地点：北京大学汉语中心

**?** Answer the questions.

(1) 如果你以前学过一点儿汉语，你应该参加哪一个汉语班？

(2) 初级汉语班每周上几小时的课？

(3) 如果你想上高级汉语班，什么时候上课？

(4) 上课的地点在哪儿？

**14** Translation.

(1) 如果明天下大雨，我们就不去长城了。

(2) 如果你不好好复习，下星期的数学考试你就可能考不及格。

(3) 如果这个周末你有空儿，我们可以去看电影。

(4) 如果你对中国画感兴趣，我可以帮你找一个老师。

**15** Reading comprehension.

| 方冰的一天 | |
| --- | --- |
| 2006 年 3 月 12 日 | 天气：晴 |

　　今天是星期日，我们一家人去市中心买东西了。我们先去服装店看了看。我买了一条黑色的牛仔裤，花了 150 块钱。爸爸买了一条领带，花了 250 块钱。妈妈没有买东西。中午我们去了一家中国饭店吃午饭。吃饭的人很多，我们等了半个多小时。下午我去书店了，我喜欢买书。我最喜欢买英文小说。我一共买了 10 本，花了 750 块钱。妈妈说我太会花钱了，但是我觉得买书比买其他东西好。

Answer the questions.

(1) 方冰一家人星期日去哪儿了？

(2) 他们先去了什么店？

(3) 方冰的爸爸买了什么？花了多少钱？

(4) 他们中午去哪儿吃午饭了？

(5) 方冰最喜欢买什么？

(6) 方冰今天买了什么？一共花了多少钱？

**1**

# 暑期游泳班

对象：<u>少年班十二～十八岁</u>

<u>成人班</u>十八岁以上

时间：<u>少年班</u>每星期二、四

上午 9:00 ～ 10:00

<u>成人班</u>每星期六、日

下午 4:00 ～ 5:30

教师：香港体育中心老师

地点：香港体育中心

学费：<u>少年班</u> $150／节

<u>成人班</u> $200／节

**2**

# 网球初级班

对象：八～十二岁

学费：全期港币 $2,000

（共十二节课）

开课时间：2001 年 4 月 1 日～

2001 年 6 月 30 日

上课地点：太古网球学校

上课时间：每星期六

下午 2:00 ～ 3:30

(1) 少年班星期几上课？

(2) 他们每星期上几次课？

(3) 每节课多长时间？

(4) 成人班是不是周末上课？

(5) 成人班每节课多少钱？

(1) 六岁的孩子可不可以参加网球初级班？

(2) 网球班全期学费是多少？

(3) 网球班在哪儿上课？

(4) 网球班每星期上几次课？

# 阅读（四）　画龙点睛

**1**　Answer the questions.

(1) 为什么有人请画家来庙里？

(2) 画家在墙上画了什么？

(3) 画家画的龙像不像？

(4) 画家为什么不给龙画眼睛？

(5) 画家给几条龙画上了眼睛？

(6) 有眼睛的龙去哪儿了？

**2**　Fill in the blanks with measure words.

从前有一＿＿＿＿庙，庙里有一＿＿＿＿墙，墙是白色的。后来有人请来了一＿＿＿＿画家，请他在墙上画一些东西。这＿＿＿＿画家在墙上画了四＿＿＿＿龙。

**3**　Translation.

(1) The wall is white.

(2) people who came to the temple

(3) The dragons will come to life if they have got eyes.

(4) As soon as they are alive, they will fly away.

(5) the two dragons with eyes

(6) no need to add eyes to the other two dragons

**4**　Give the meanings of the following phrases.

① 信
- 写信
- 回信
- 明信片
- 信纸
- 信用卡

② 墙
- 墙壁
- 墙角
- 墙纸

**47**

# 第六课　中式早餐包括粥、包子……

## 1　Match the Chinese with the English.

(1) 面条　　(a) stuffed steamed bun

(2) 油条　　(b) milk

(3) 包子　　(c) noodles

(4) 粥　　(d) porridge

(5) 豆浆　　(e) yoghurt

(6) 点心　　(f) deep fried twisted dough sticks

(7) 牛奶　　(g) egg

(8) 鸡蛋　　(h) soya-bean milk

(9) 面包　　(i) fruit

(10) 酸奶　　(j) light refreshments

(11) 水果　　(k) bread

## 2　Separate the following into two groups.

| 包子 | 书包 | 红包 | 面条 |
| 面包 | 油条 | 黄油 | 钱包 |
| 鸡蛋 | 毛巾 | 酸奶 | 牛奶 |
| 餐巾 | 蛋糕 | 果酱 | 水果 |
| 酱油 | 桔子 | 果汁 | 糖果 |

| 吃的东西 | 用的东西 |
| --- | --- |
| 包子 | 书包 |

## 3　Make up phrases.

(1) 生病→病_假_条　　(4) 喝水→水 ____　　(7) ____学→学费

(2) 发现→现 ____　　(5) ____体→体温　　(8) 酸奶→奶 ____

(3) 开药→药 ____　　(6) 黄油→油 ____　　(9) ____蛋→蛋糕

**4**    Match the descriptions with the pictures.

❶  这个包里有水、牛奶、糖、水果、土豆和鸡蛋。

❷  这个包里有面包、果汁、大米、黄油、土豆、红茶和豆浆。

❸  这个包里有牛奶、糖、土豆、桔子汁和面包。

❹  这个包里有鱼、面包、大米、黄油、糖、咖啡和果酱。

**5**    Guess the meanings of the following phrases.

(1) 蛋糕          (4) 奶油          (7) 墙纸

(2) 蛋黄          (5) 母鸡          (8) 市场

(3) 蛋白          (6) 公鸡          (9) 钱包

**6**    Write in Chinese what they eat for breakfast.

我叫小亮。我早
上通常吃……

(1) milk _____

(2) bread _____     (4) juice _____

(3) yoghurt _____   (5) biscuits _____

我叫小文。我早饭
通常吃……

(1) soya-bean milk _____

(2) noodles _____

(3) stuffed steamed buns _____

(4) fruit _____

**7**　Write down the names of the food in Chinese.

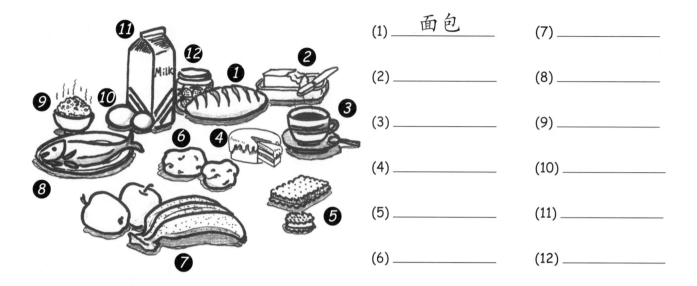

(1) ___面包___　　　　(7) _____

(2) _____　　　　(8) _____

(3) _____　　　　(9) _____

(4) _____　　　　(10) _____

(5) _____　　　　(11) _____

(6) _____　　　　(12) _____

**8**　Give the meanings of the following phrases.

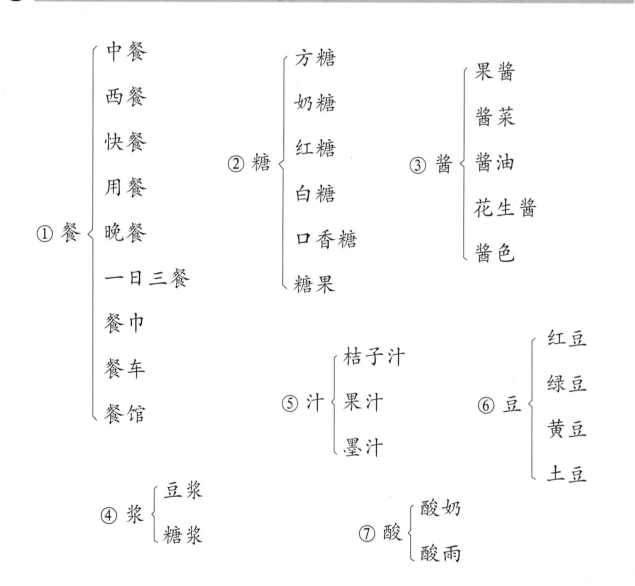

① 餐 { 中餐　西餐　快餐　用餐　晚餐　一日三餐　餐巾　餐车　餐馆

② 糖 { 方糖　奶糖　红糖　白糖　口香糖　糖果

③ 酱 { 果酱　酱菜　酱油　花生酱　酱色

④ 浆 { 豆浆　糖浆

⑤ 汁 { 桔子汁　果汁　墨汁

⑥ 豆 { 红豆　绿豆　黄豆　土豆

⑦ 酸 { 酸奶　酸雨

**9** Look at the menu below.

| 早餐价目表 | | | |
|---|---|---|---|
| 白粥 | ￥0.80 | 牛奶 | ￥1.20 |
| 面条 | ￥1.20 | 果汁 | ￥0.80 |
| 油条（根） | ￥0.50 | 桔子汁 | ￥0.80 |
| 包子（个） | ￥0.30 | 红茶 | ￥0.50 |
| 水饺（个） | ￥0.20 | 绿茶 | ￥0.50 |
| 面包（个） | ￥1.20 | 咖啡 | ￥2.00 |
| 酸奶 | ￥2.50 | 可乐 | ￥1.00 |
| 豆浆 | ￥1.00 | 汽水 | ￥0.80 |

Answer the questions.

(1) 这个女孩有五块钱。她要吃中式早餐。她可以吃些什么？

(2) 那个男孩也有五块钱。他要吃西式早餐。他可以吃些什么？

**10** Translation.

(1) 你想吃中餐还是西餐？

(2) 可乐或果汁都可以。

(3) 你想吃中药还是西药？

(4) 晚饭在家里吃还是去饭店吃？

(5) 你咖啡里要加红糖还是方糖？

(6) 他可能今天或明天去北京。

(7) 你画的是狗还是猫？

(8) 李白是一位诗人还是画家？

## 11 Choose the correct meaning for the dotted word / phrase.

(a) 贝 treasure  (b) 氵 water

(1) 这家商店的东西很贵。  (a) expensive  (b) cheap  (c) bad

(2) 弟弟太贪玩，不爱学习。  (a) hate  (b) be fond of  (c) be reluctant

(3) 她一边看信，一边流眼泪。  (a) yawn  (b) saliva  (c) tear

(4) 这条小河很浅。  (a) dry  (b) shallow  (c) deep

(5) 小时候我喜欢去海滩玩水。  (a) beach  (b) sea  (c) under the sea

## 12 Match the words with the radicals.

(1) 贝 (treasure) _____

(2) 酉 (fermentation) _____

(3) 米 (rice) _____

(4) 食 (food) _____

(5) 虫 (insect) _____

(6) 矢 (arrow) _____

(7) 弓 (bow) _____

(8) 羊 (sheep) _____

(9) 疒 (sickness) _____

(10) 广 (shelter) _____

| | | | |
|---|---|---|---|
| 货 | 蛋 | 糖 | 酸 |
| 餐 | 费 | 酱 | 粥 |
| 矮 | 疼 | 病 | 康 |
| 虾 | 庙 | 糕 | 瘦 |
| 短 | 美 | 痛 | 唐 |

## 13 Answer the following questions.

(1) 你每天吃早饭吗？

(2) 你早饭通常吃什么？

(3) 你喜欢吃中式早餐还是西式早餐？

(4) 你每天都喝牛奶吗？

(5) 你喝过豆浆吗？

(6) 你喝茶要加牛奶和糖吗？

(7) 你喜欢喝咖啡吗？

## 14 Write a paragraph about Xiao Yang's routine in Chinese.

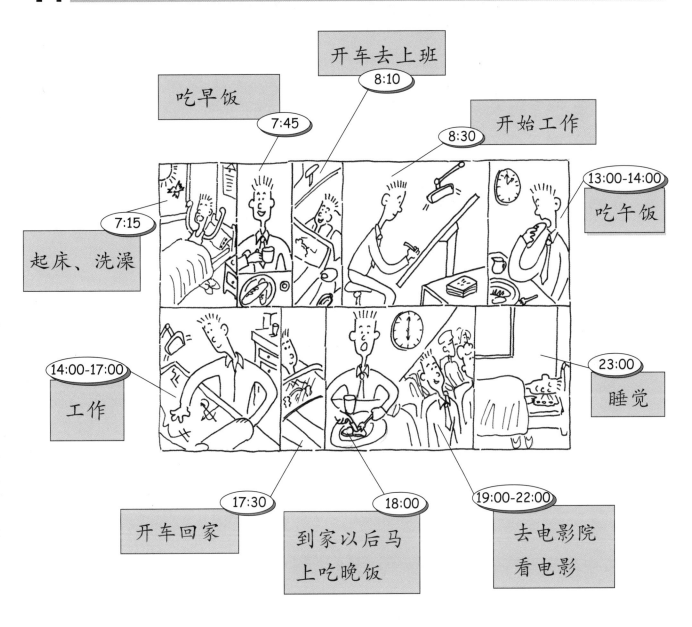

昨天小杨七点一刻起床。

# 阅读（五）　自相矛盾

**1** Answer the questions.

(1) 卖矛和盾的人是怎样叫卖他的矛的？

(2) 他是怎样叫卖他的盾的？

(3) 旁边的人听了他的叫卖后说了什么？

(4) 你觉得会不会有人买他的矛和盾？

**2** Translation.

(1) There is a person who sells spears and shields.

(2) in order to attract people

(3) the sharpest in the world

(4) all the shields

(5) No spears can pierce it.

(6) What if you pierce your shield with your spear?

(7) self-contradictory

**3** Give the meanings of the following phrases.

① 声 ｛ 大声　小声　四声　名声　声学　声音

② 透 ｛ 穿透　看透　湿透　透风　透气　透明

③ 硬 ｛ 坚硬　嘴硬　硬币

④ 引 ｛ 引力　引号

⑤ 吸 ｛ 吸引　吸水　吸热　吸铁石

# 第七课　爸爸点了很多菜

**1** Write the pinyin and meanings for the following words / phrases.

(1) 牛肉 _____

(2) 渴 _____

(3) 饿 _____

(4) 饱 _____

(5) 冷饮 _____

(6) 水果盘 _____

(7) 大约 _____

(8) 海带丝 _____

(9) 鸡汤 _____

(10) 烤鸭 _____

(11) 炒菜 _____

(12) 豆腐 _____

**2** Choose the right answer.

(1) 如果你想吃中式早餐，你可以吃_____。

　　(a) 白粥、油条、豆浆

　　(b) 面包、黄油、酸奶、桔子汁

(2) 如果你想吃西式早餐，你可以吃_____。

　　(a) 包子、汤面、鸡蛋　(b) 牛奶、牛角包、水果

(3) 如果你想吃中式午餐，你可以吃_____。

　　(a) 炒鸡蛋、鱼、米饭　(b) 热狗、酸奶、奶茶

(4) 如果你去香港饭店饮早茶，你可以吃到_____。

　　(a) 春卷、虾饺、烧卖、红豆包

　　(b) 家常豆腐、炒肉片、红烧鱼

# 午餐价目表

### 星期一

| | | | |
|---|---|---|---|
| 热狗 | $8.00 | 酸奶 | $4.50 |
| 菜肉包子 | $4.00 | 牛奶 | $3.20 |
| 春卷（四个） | $4.00 | 可乐 | $2.50 |
| 杯面 | $3.80 | 汽水 | $2.00 |

### 星期四

| | | | |
|---|---|---|---|
| 炒面 | $10.00 | 可乐 | $2.50 |
| 水饺（四个） | $4.00 | 牛奶 | $3.20 |
| 茶叶蛋 | $1.50 | 汽水 | $2.00 |

### 星期二

| | | | |
|---|---|---|---|
| 炒鱼片米饭 | $18.00 | 红茶 | $1.50 |
| 水饺（四个） | $4.00 | 绿茶 | $1.50 |
| 牛肉汤面 | $10.00 | 桔子汁 | $2.50 |
| 茶叶蛋 | $1.50 | 可乐 | $2.50 |

### 星期五

| | | | |
|---|---|---|---|
| 热狗 | $8.00 | 花茶 | $1.50 |
| 菜花肉片饭 | $15.00 | 牛奶 | $3.20 |
| 菜肉包子 | $4.00 | 可乐 | $2.50 |

### 星期三

| | | | |
|---|---|---|---|
| 鸡蛋炒饭 | $15.00 | 酸奶 | $4.50 |
| 炒面 | $10.00 | 牛奶 | $3.20 |
| 牛肉米饭 | $16.00 | 果汁 | $2.50 |
| 杯面 | $3.80 | 汽水 | $2.00 |

Answer the questions.

(1) 你哪天可以吃到热狗？

(2) 你星期几可以吃到水饺？

(3) 你每天都可以吃到酸奶吗？

(4) 哪天没有米饭？

(5) 如果你想吃牛肉米饭、喝汽水，你要花多少钱？

**4** Study the dialogue below.

服务员：请问，几位？

李先生：两位。

服务员：请跟我来。请坐。
你们先喝点儿什么？

李先生：请来两杯可乐。

服务员：现在点菜，还是等一会儿？

李先生：现在就点。你们有两人套餐吗？

服务员：有。两人套餐 $248，三菜一汤，一个水果盘，
咖啡或茶。

李先生：我们就吃套餐。

服务员：还要别的吗？

李先生：不要了。谢谢。

Make up a new dialogue.

你们五个人去一家中式饭店吃饭。自己点菜。
你们要点饮品、冷盘、主菜和水果。

## 5 Answer the following questions.

(1) 爸爸、妈妈每个月大约给你多少零用钱？

(2) 你每个月坐车花多少钱？

(3) 你每个月吃午饭花多少钱？

(4) 你每个月买书花多少钱？

(5) 你每个月买衣服花多少钱？

(6) 你每个月买 CD 花多少钱？

(7) 你每个月看电影花多少钱？

(8) 你每个月买糖果花多少钱？

## 6 Translation.

(1) 这牛肉太老了，真难吃。

(2) 你饱了吗？要不要再吃一点儿？

(3) 你饿了吗？想不想去吃点儿东西？

(4) 你渴不渴？要不要喝点儿水？

(5) 这家饭店没有外卖服务。

(6) 在香港，大年初一，所有的商店都关门。

(7) 别着急，一会儿就可以吃饭了。

(8) 你喝咖啡时加不加糖？

(9) 在中国，北方人喜欢喝花茶，南方人喜欢喝绿茶。

## 7 Find the phrases. Write them out.

| 冷 | 热 | 皮 | 鸡 | 豆 | 腐 |
|---|---|---|---|---|---|
| 酸 | 饮 | 鞋 | 蛋 | 大 | 海 |
| 奶 | 菜 | 花 | 生 | 米 | 带 |
| 饿 | 烤 | 饱 | 炒 | 饭 | 碗 |
| 牛 | 肉 | 鸭 | 面 | 鱼 | 片 |

(1) ——————  (6) ——————

(2) ——————  (7) ——————

(3) ——————  (8) ——————

(4) ——————  (9) ——————

(5) ——————  (10) ——————

## 8 Reading comprehension.

　　我们家周末经常外出吃饭。我父母亲都是上海人，所以我们每次都会去一家上海饭店——一品香。这家饭店不大，但是做的菜很好吃：有冷盘、炒菜，还有家常菜。我最喜欢吃的是那里的五香牛肉。他们做的茶叶蛋也非常好吃。饭店的服务也不错，所以每天吃饭的人很多，周末人就更多了，有时候要等半个小时。

Answer the questions.

(1) 他们一家周末常在家吃饭吗？

(2) 他们常去的饭店叫什么名字？

(3) 这家饭店大不大？

(4) 这家饭店的菜做得怎么样？

(5) 饭店的服务怎么样？

(6) 去一品香吃饭的人多不多？

# 阅读（六）　　儿子和邻居

（　）(1) 这个宋国人没有儿子。

（　）(2) 一场大雨冲走了宋国人的家。

（　）(3) 儿子让父亲找人修墙。

（　）(4) 宋国没有小偷。

（　）(5) 这个宋国人的邻居是一个老头儿。

（　）(6) 有一天晚上小偷偷走了富人家的很多东西。

（　）(7) 这个富人的全家都觉得富人的儿子很聪明。

（　）(8) 隔壁老人可能是小偷。

**2** Give the meanings of the following phrases.

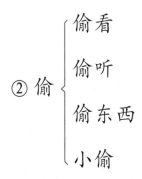

① 居
居民
居住
邻居
故居

② 偷
偷看
偷听
偷东西
小偷

**3** Translation.

(1) Heavy rain damaged the wall of the rich man's house.

(2) an old man who lives next door

(3) steal a lot of nice things

(4) on the second day

(5) the person who came to steal

(6) that night

# 第八课　自助餐的菜式很多

## 1 Answer the questions.

| 套餐1 | 套餐2 | 套餐3 |
| --- | --- | --- |
| 鸡蛋、面包、牛奶、桔子汁 | 米饭、炒菜、鱼、牛肉、鸡汤 | 三明治、可乐、水果 |

(1) 哪个套餐是早餐？

(2) 套餐2一般什么时候吃？

(3) 哪个套餐像午餐？

(4) 你喜欢吃哪个套餐？

## 2 Finish the following dialogues.

**Example**

A: 五个包子多少钱？

B: 五个包子五块钱。

￥5.00。

❹
￥1.00。

A: 一碗甜豆浆多少钱？

B: _____。

❶

A: 半打鸡蛋多少钱？

￥2.50。

B: _____。

❺

A: 一个蛋糕多少钱？

B: _____。 ￥45.00。

❷

A: _____？

B: 一盘饺子五块钱。 ￥5.00。

❻
￥0.80。

A: _____？

B: 一根油条八毛。

❸
￥28.00。

A: _____？

B: 一只烤鸭二十八块。

❼
￥0.80。

A: 一碗白粥多少钱？

B: _____。

**3** Circle the ingredients.

做蛋糕要用什么？

| | |
|---|---|
| (1) 黄油 | (6) 鸡蛋 |
| (2) 面 | (7) 土豆 |
| (3) 猪肉 | (8) 青菜 |
| (4) 白糖 | (9) 水果 |
| (5) 水 | (10) 奶油 |

**4** Answer the questions.

每位 $25.00 大小同价

套餐1
牛肉片炒四季豆
鸡蛋炒饭
中国茶或咖啡

套餐2
猪肉丝炒面
炒卷心菜
中国茶或咖啡

套餐3
三文鱼寿司
生菜沙拉
可乐或咖啡

(1) 这些套餐是早餐还是晚餐？

(2) 不吃肉的人可以吃哪个套餐？

(3) 不吃猪肉的人可以吃哪个套餐？

(4) 喜欢吃鱼的人可以吃哪个套餐？

(5) 每个套餐的饮品一样吗？套餐1的饮品是什么？

(6) 小孩吃套餐要花多少钱？

**5** Study the dialogue below.

A: 我买两张去北京的火车票。

B: 请问您要哪天的?

A: 6 月 19 号的。

B: 您想坐几点的车?

A: 下午四点半的。

B: 您要单程票还是来回票?

A: 来回票。

B: 一共 160 块。请在 3 号月台上车。

A: 谢谢。

Make up new dialogues.

Task 1: 买三张去上海的单程票。

Task 2: 买一张去南京的来回票。

| 西安火车站 | | | |
|---|---|---|---|
| 目的地 | 时间 | 单程票价 | 来回票价 |
| 北京 | 16:30 / 20:15 | ￥90.00 | ￥160.00 |
| 上海 | 14:30 / 17:15 | ￥160.00 | ￥300.00 |
| 南京 | 9:08 / 13:45 | ￥180.00 | ￥345.00 |

**6**   Make up phrases.

(1) 寿司→司 <u>机</u>

(2) 变化→化 ___

(3) 快餐→餐 ___

(4) 东南亚→亚 ___

(5) ___ 菜→菜单

(6) ___ 糖→糖果

(7) ___ 糕→糕点

(8) 牛排→排 ___

(9) ___ 食→食品

(10) 花生米→米 ___

(11) 聪明→明 ___

(12) ___ 儿→儿童

(13) ___ 费→费用

(14) ___ 酱→酱菜

(15) ___ 式→式样

**7**   Choose the correct meaning for the dotted word / phrase.

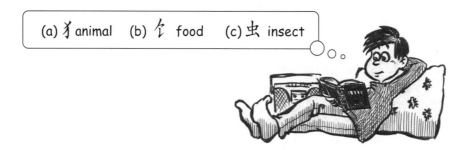

(a) 犭 animal   (b) 飠 food   (c) 虫 insect

(1)《狮子王》这部动画片很好看。   (a) elephant   (b) lion   (c) tiger

(2) 我弟弟每次去动物园，都要去看猴子。

(a) fox   (b) monkey   (c) wolf

(3) 2001年是蛇年。   (a) shrimp   (b) snake   (c) fly

(4) 香港夏天蚊子不少。   (a) mosquito   (b) frog   (c) cockroach

(5) 在中国，北方人喜欢吃面条、馒头。

(a) steamed bun   (b) dumpling   (c) spring roll

**8** Fill in the blanks with the question words in the box.

| 谁 | 什么 | 哪儿 | 几 | 哪 | 怎么 | 多少 |
|---|---|---|---|---|---|---|

(1) A: 你喜欢上什么课？

B: 我 _____ 课都不喜欢。

(2) A: 我们怎么去体育中心？

B: _____ 去都可以。

(3) A: 谁可以参加篮球队？

B: _____ 都可以参加。

(4) A: 我们几点去看电影？

B: _____ 点去都可以。

(5) A: 你想去哪儿玩？

B: 我 _____ 都想去。

(6) A: 我什么时候去你家？

B: 你 _____ 时候来都可以。

(7) A: 你要哪一个？

B: 我 _____ 个都不要。

(8) A: 你要几个皮球？

B: _____ 个都可以。

**9** Give the meaning of each word.

① { 级 / 吸

② { 领 / 邻

③ { 酱 / 浆

④ { 古 / 故

⑤ { 更 / 硬

⑥ { 名 / 各

⑦ { 总 / 聪

⑧ { 种 / 钟 / 冲

**10** Give the meanings of the following phrases.

(1) 牛皮鞋

(2) 羊皮鞋

(3) 羊皮外套

(4) 羊毛衫

(5) 猪皮带

(6) 牛皮带

(7) 猪毛刷

(8) 皮包

(9) 牛奶

(10) 牛油

## 11 Rearrange the pictures according to the passage.

小方和爷爷今天很早就出门了。爷爷带她去了附近的一个公园。公园里有人在跑步,有人在放风筝。爷爷还带小方去买衣服了。天一黑,他们就回家了。小方没吃完晚饭就睡着了。

## 12 Give the meanings of the following phrases.

① 食 {
食品
食物
食堂
主食
饮食
日全食
月全食
}

② 单 {
单车
单程票
单人房
单人床
单数
单元
菜单
}

③ 厅 {
餐厅
大厅
客厅
音乐厅
}

④ 沙 {
沙子
沙拉
沙发
}

⑤ 青 {
青菜
青春
青年
青少年
}

⑥ 羊 {
羊毛
羊毛衫
山羊
}

**13** Reading comprehension.

## ❶ 东海酒家自助晚餐

主菜：中、西菜式 40 多种

甜品：各式蛋糕、水果沙拉等

饮品：法国红酒、白酒、各种冷、热饮

每位 $150.00

3 - 5 岁小童半价

每天晚上 6:00 - 11:00

星期日及节假日不休息

## ❷ 孔喜明粥面店

各式早餐：

皮蛋瘦肉粥

牛肉片粥

鱼片粥

猪红瘦肉粥

白粥

上海炒年糕

菜肉包子

牛肉面

雪菜肉丝面

炒面　　奶茶

汤面　　绿茶

油条　　红茶

油饼　　豆浆

True or false?

( ) (1) 自助晚餐的菜式只有西式的。

( ) (2) 自助晚餐的菜式大约有 30 种。

( ) (3) 十岁以下的小孩去吃自助餐不用花钱。

( ) (4) 周末也可以去吃自助晚餐。

( ) (5) 粥面店里只有四种粥。

( ) (6) 粥面店里只有茶，没有咖啡。

( ) (7) 在粥面店里你可以吃到牛肉包子。

亲爱的爸爸、妈妈：你们好！

我来北京已经 ＿＿＿＿＿ 了 (three days)。我已经去过了 ＿＿＿＿＿
＿＿＿＿＿＿＿＿＿＿＿＿＿＿ (Tian'anmen, the Forbidden City and the Great Wall)。

这三天里，我吃过了 ＿＿＿＿＿ 和 ＿＿＿＿＿ (roast duck, dumpling)。这几
天北京的天气 ＿＿＿＿＿＿＿＿＿＿＿＿＿＿＿＿＿ (very hot,
temperature between 28 ℃ － 35 ℃)。北京的马路上有 ＿＿＿＿＿＿＿
(a lot of people)，也有 ＿＿＿＿＿ (a lot of bicycles)。北京人 ＿＿＿＿＿
(very friendly)。我 ＿＿＿＿＿(next week) 还要去上海。

祝好！

女儿：严小琴 上

7月12日于北京

(1) 你吃完早饭<u>以后</u>可以出去玩。

(2) 三天<u>以前</u>我见过他。

(3) 放学<u>以后</u>我们可以去看电影。

(4) 睡觉<u>以前</u>要洗脸、刷牙。

(5) 来中国<u>以前</u>他学过汉语。

(6) 1.20米<u>以上</u>的孩子要买成人票。

(7) 到了北京<u>以后</u>请你打电话给我。

(8) 十二岁<u>以下</u>的孩子不用买票。

## 16 Reading comprehension.

**1**

如果您在本市居住、工作或学习，您就可以在本图书馆借书。每个人每次最多可借10本，最长借两个星期。

开馆时间：

星期一～星期五

10:00 ～ 19:00

节假日、周末

10:00 ～ 17:00

**2**

女士们、先生们：

餐车上有中、西式午餐、西式糕点、茶、咖啡及各类饮品。

开饭时间是中午12:00到下午2:00。

**3**

昨天李明一家三口去饭店吃午饭了。他们要了三菜一汤：一盘炒土豆丝、一条红烧鱼、半只烤鸭和一碗鸡汤；他们每人还要了一碗红豆汤，总共花了50元。

True or false?

( ) (1) 图书馆每天都开门。

( ) (2) 在本市居住的人不可以去图书馆借书。

( ) (3) 每个人每次最少可以借10本。

( ) (4) 餐车上只有中式午餐。

( ) (5) 李明一家人昨天去吃自助餐了。

( ) (6) 他们只吃了鸡、鸭、鱼，没有吃肉。

( ) (7) 最后他们没有要水果。

# 生詞

第五課　货币　人民币　本国　美元　日元　英镑　角＝毛　分

日常生活　块＝元　钱　花费　学费　如果　成人

电影票　儿童　票价　多少钱

画龙点睛　从前　庙　墙　信　这时　突然

电闪雷鸣　另外

第六課　中式　早餐＝早饭　包括　粥　包子　面条　鸡蛋　油条

豆浆　点心　城市　西式　面包　酸奶　牛奶　桔子汁

咖啡　抹　黄油　或　果酱　糖

自相矛盾　为了　吸引　大声　叫卖　尖利　所有

穿透　坚硬

第七課　碗　鸡汤　当时　大约　渴　饿　杯　冷饮　叫菜＝点菜

冷盘　皮蛋　肉片　五香牛肉　花生米　海带丝　烤鸭

炒面　家常　豆腐　水果盘　饱

邻居　宋国　富人　冲　坏人　修　小偷　偷东西

果然　聪明

第八課　自助餐　羊肉　变化　饮食业　各个　意大利　东南亚

快餐　餐厅　菜单　猪排　三文鱼　寿司　龙虾　生菜

沙拉　三明治　甜食（品）　糕点　青年人

# 总复习

## 1. Currency

① 货币（钱）
- 人民币
- 美元（金）
- 日元
- 英镑

② 人民币
- 元（块）
- 角（毛）
- 分

## 2. Food and drinks

① 中餐
- 粥
- 豆浆
- 油条
- 包子
- 春卷
- 饺子
- 炒饭（面）
- 虾饺
- 烧卖
- 点心
- 汤

② 西餐
- 意大利面（寿司）
- 三明治
- 烤土豆
- 酸奶
- 牛奶
- 面包
- 黄油
- 果酱
- 热狗
- 沙拉

③
- 咖啡
- （红、绿、花）茶
- 桔子汁
- 果汁
- 汽水
- 可乐
- 冰水

④ 甜品
- 蛋糕
- 水果
- 饼干

⑤
- 糖
- 鸡
- 鸡蛋
- （烤）鸭
- （猪、牛、羊）肉
- 猪排
- 三文鱼
- 豆腐
- 花生
- 黄豆
- 虾
- 龙虾

3. Measure words

一杯可乐

一盘炒肉片

一碗汤面

一面墙

一块蛋糕

4. Ordering food

点菜

我想点一个炒菜。

我想叫一个冷盘。

我想要一个甜品。

请再来一个可乐。

5. Adjectives

(1) 渴： 要是你渴了，就喝果汁。

(2) 饿： 要是你饿了，就吃三明治。

(3) 饱： 我饱了，我不能再吃了。

6. Grammar

(1) 多少钱　　一张电影票多少钱？

(2) 花　　　　他每天花很多时间打电话。

昨天我花400块钱买了一件毛衣。

(3) 还是／或　你想吃自助餐还是点菜？

你今天或明天来都可以。

(4) 各　　　　各位家长，你们好！

这家商店卖各种各样的手表。

(5) 如果……，就……　如果你不想吃自助餐，就自己点菜。

(6) Question words used as indefinites　他长得谁也不像。

我什么水果都喜欢吃。

7. Questions and answers

(1)你今天吃早饭了吗？　吃了。

(2)你早饭一般吃什么？　牛奶、面包。

(3)你午饭吃什么？　三明治、可乐。

(4)你晚饭吃中餐还是西餐？　有时候吃中餐，有时候吃西餐。

(5)你喜欢喝什么？　可乐和桔子汁。

(6)你吃过自助餐吗？　吃过。

(7)你和家人常去饭店吃饭吗？　每周一次。

(8)你每天花多长时间做功课？　两个小时。

(9)你每个星期花多少零用钱？　100块。

(10)在你的国家买一张儿童电影票要多少钱？　三十块。

# 测验

Answer the questions in Chinese.

(1) 一公斤土豆多少钱？ （￥1.50）_____

(2) 一条鱼多少钱？ （￥15.00）_____

(3) 一杯桔子汁多少钱？ （￥2.50）_____

(4) 一包薯片多少钱？ （￥7.80）_____

(5) 一块巧克力多少钱？ （￥8.40）_____

(6) 半斤火腿肉多少钱？ （￥18.20）_____

(7) 一块烤牛排多少钱？ （￥18.00）_____

(8) 一斤水果糖多少钱？ （￥9.50）_____

**2** Choose the right word.

(1) 美国的货（巾／币）叫美（无／元）。

(2) 请问，一张（成／城）人电影（漂／票）多少钱？

(3) 我（渴／喝）咖（非／啡）时从来都不加（唐／糖）。

(4) 我要一（盘／舟）水果。

(5) 有些人饭后喜欢吃（刮／甜）品。

(6) 我哥哥有世界（各／名）国的（更／硬）币。

(7) 一（汤／场）大雨冲（吓／坏）了宋国人家的墙。

## 3 True or false?

( )(1) 我们通常先看到闪电，
然后听见雷声。

( )(2) 住在你家隔壁的人就
是你的邻居。

( )(3) 偷人家东西的人叫小
偷。

( )(4) 富人没有钱。

( )(5) 德国的货币叫英镑。

( )(6) 中国有很多庙。

( )(7) 中国人喜欢吃豆腐。

( )(8) 西方人喜欢喝咖啡。

## 4 Answer the following questions.

(1) 你平时早饭吃什么？

(2) 上学的时候你午饭一般
吃什么？

(3) 你晚饭通常几点吃？你
家谁做晚饭？

(4) 你喜欢吃自助餐吗？

(5) 你和家人常去饭店吃饭吗？

(6) 你每个月有多少零用钱？

(7) 你们学校有食堂吗？

(8) 你每天花几个小时做功课？

(9) 你知道几个中国城市的名字？

(10) 世界上最富有的人是谁？

## 5 Translation.

(1) I would like to have some dessert.

(2) Do you have vegetable salad?

(3) Can I order now?

(4) Can I add a cold dish?

(5) What would you like to eat?

(6) How much is a cup of tea?

(7) How many books can I borrow?

(8) When should I return these books?

(9) Yesterday I bought a novel for $56.00.

(10) What would you like to drink, tea or coffee?

## 6 Writing practice. Write an account of your eating out.

You should include:

① When and where you went

② Whom you went with

③ What you ate and how much the food cost

④ How you felt about the food there

## 7 Extended reading.

中国地方大，各个地区的气候不同，所以人们吃的饭菜也不一样。南方人喜欢吃米饭，北方人喜欢吃面食。因为每个地方饭菜做得不同，所以人们常说"南甜，北咸，东辣，西酸"。也就是说，南方人喜欢吃甜的，做菜时常常放糖；北方人喜欢吃咸的，做菜时盐放得多一点；山东和西南部一些地方的人喜欢吃辣的，他们做的菜又香又辣；山西人爱吃酸的，他们做菜时喜欢放醋。中国人还喜欢喝茶，南方人喜欢喝绿茶，北方人喜欢喝花茶。

True or false?

( ) (1) 所有的中国人都喜欢吃面食。

( ) (2) 中国的南方人喜欢吃辣的。

( ) (3) 中国的北方人喜欢吃咸的。

( ) (4) 中国人喜欢喝红茶，加糖和牛奶。

# 第三单元　饮食和健康

## 第九课　市场上的蔬菜、水果非常新鲜

**1** Categorize the fruit and vegetables.

| | | | | | |
|---|---|---|---|---|---|
| 苹果 | 香蕉 | 冬瓜 | 西瓜 | 木瓜 | 胡萝卜 |
| 草莓 | 青菜 | 桔子 | 卷心菜 | 四季豆 | 柿子 |
| 生菜 | 毛豆 | 大白菜 | 南瓜 | 土豆 | 白萝卜 |
| 桃子 | 黄瓜 | 西红柿 | 葡萄 | 李子 | 梨 |

fruits
水果

vegetables
蔬菜

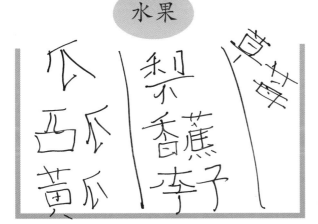

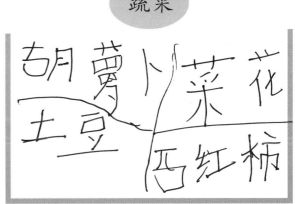

**2** Find the odd one out.

(1) 西瓜　冬瓜　南瓜　黄瓜

(2) 苹果　香蕉　梨　　青菜

(3) 草莓　草药　葡萄　桃子

(4) 卷心菜　大白菜　菜农　菜花

(5) 葡萄牙　西班牙　意大利　葡萄酒

(6) 炒肉片　猪肉　羊肉　牛肉

(7) 鲜鱼　鲜虾　鲜花　鲜肉

(8) 渴　饿　饱　喝

**3** Comment on the following food and drinks.

| 饮品、食品 | Comments |
|---|---|
| (1) 酸奶 | 常常吃 |
| (2) 豆浆 | |
| (3) 牛奶 | |
| (4) 可乐 | |
| (5) 鸡蛋 | |
| (6) 猪肉 | |
| (7) 寿司 | |
| (8) 牛排 | |
| (9) 蛋糕 | |
| (10) 鱼 | |
| (11) 西红柿 | |
| (12) 草莓 | |
| (13) 西瓜 | |
| (14) 三明治 | |

Useful Phrases:

(a) 非常喜欢吃／喝

(b) 从来没吃／喝过

(c) 常常吃／喝

(d) 每天都吃／喝

(e) 一个星期吃／喝一次

(f) 最不爱吃／喝

(g) 吃／喝过一次

(h) 很少吃／喝

(i) 不好吃／喝

(j) 小时候喜欢吃／喝

**4** Give the meaning of each word.

① { 豆 短 }　② { 市 闹 }　③ { 每 莓 }　④ { 菜 彩 }　⑤ { 利 梨 }　⑥ { 桃 跳 }

**5** Write the Chinese characters for the following vegetables and fruit.

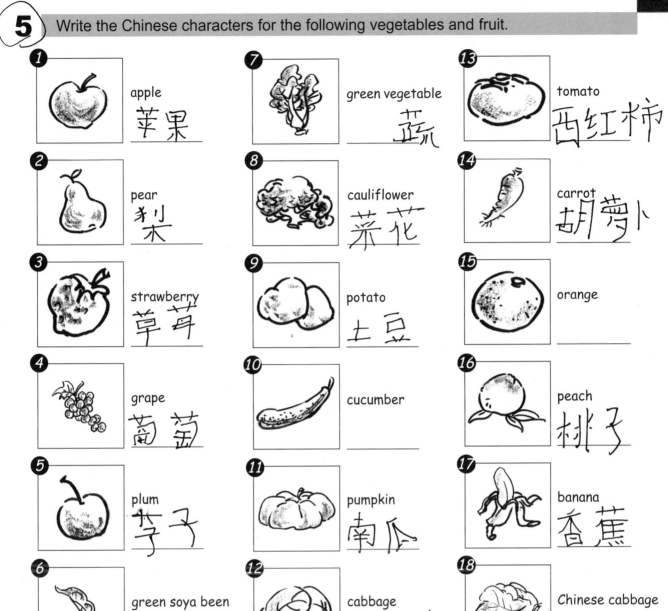

1. apple 苹果
2. pear 梨
3. strawberry 草莓
4. grape 葡萄
5. plum 李子
6. green soya been
7. green vegetable 蔬
8. cauliflower 菜花
9. potato 土豆
10. cucumber
11. pumpkin 南瓜
12. cabbage 卷心菜
13. tomato 西红柿
14. carrot 胡萝卜
15. orange
16. peach 桃子
17. banana 香蕉
18. Chinese cabbage

**6** Give the meanings of the following phrases.

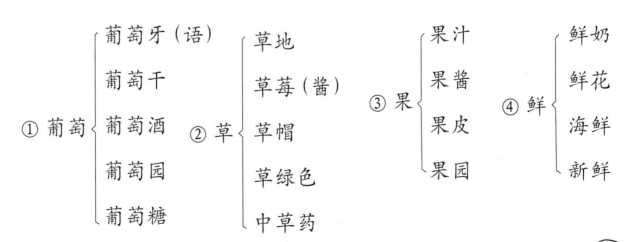

① 葡萄 { 葡萄牙（语）, 葡萄干, 葡萄酒, 葡萄园, 葡萄糖 }

② 草 { 草地, 草莓（酱）, 草帽, 草绿色, 中草药 }

③ 果 { 果汁, 果酱, 果皮, 果园 }

④ 鲜 { 鲜奶, 鲜花, 海鲜, 新鲜 }

你去洗衣店洗衣服。以下是洗衣服务的价目表：

| 洗衣 | 干洗 | | | |
|---|---|---|---|---|
| 每3公斤 $10.00 | 西装（套） | $45.00 | 长大衣 | $50.00 |
| 5公斤 $15.00 | 套装（套） | $42.00 | 呢裙子 | $38.00 |
| | 短大衣 | $40.00 | 西裤 | $20.00 |

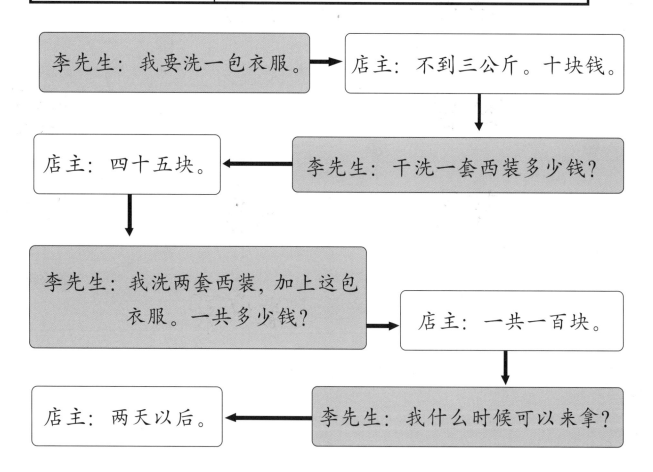

李先生：我要洗一包衣服。 → 店主：不到三公斤。十块钱。

店主：四十五块。 ← 李先生：干洗一套西装多少钱？

李先生：我洗两套西装，加上这包衣服。一共多少钱？ → 店主：一共一百块。

店主：两天以后。 ← 李先生：我什么时候可以来拿？

**Task**

你要洗一件长大衣，一条西裤，五公斤衣服。

## 8 Fill in the blanks with proper measure words.

公斤　斤　个　只　包　杯　块　打　盘

(1) 一 ____ 牛奶　　(6) 三 ____ 苹果　　(11) 一 ____ 蛋糕　　(16) 一 ____ 面包

(2) 一 ____ 可乐　　(7) 两 ____ 梨　　(12) 一 ____ 饼干　　(17) 一 ____ 炒饭

(3) 一 ____ 西瓜　　(8) 两 ____ 胡萝卜　(13) 一 ____ 糖果　　(18) 一 ____ 桔子汁

(4) 一 ____ 鸡蛋　　(9) 一 ____ 草莓　　(14) 三 ____ 土豆　　(19) 四 ____ 香蕉

(5) 一 ____ 三明治　(10) 两 ____ 葡萄　　(15) 一 ____ 南瓜　　(20) 一 ____ 青菜

## 9 Read the text below. Describe one of your friends.

我们班来了一位新同学。

她是韩国人，她叫金英。她

长得挺高，有1.6米，瘦瘦的。

她的头发是黑色的，不长也

不短。她的眼睛大大的、鼻

子高高的、嘴巴也大大的，

挺漂亮。她不爱说话，但是

很友好，还喜欢帮助别人。

她很喜欢吃甜食，我也很喜

欢吃，所以，我

们很快就成了好

朋友。

## 10 Translation.

(1) 市场上卖的肉挺新鲜的。

(2) 我家住在市中心，一天到晚都很热闹。

(3) 这十几年，中国变化很大。

(4) 今天所有的碗筷都半价。

(5) 上海是中国第一大城市。

(6) 青年人一般喜欢流行音乐。

(7) 别着急，让汤凉一下再喝。

(8) 西瓜皮是绿色的，西瓜肉是红色的，西瓜子是黑色的。

**11** Answer the questions based on the information given.

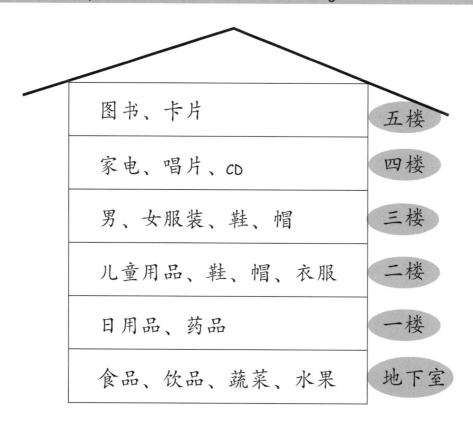

| | |
|---|---|
| 图书、卡片 | 五楼 |
| 家电、唱片、CD | 四楼 |
| 男、女服装、鞋、帽 | 三楼 |
| 儿童用品、鞋、帽、衣服 | 二楼 |
| 日用品、药品 | 一楼 |
| 食品、饮品、蔬菜、水果 | 地下室 |

(1) 如果你想买牛奶、面包和黄油，你应该去几楼买？

(2) 如果你想买一台电视机，你应该上几楼？

(3) 你想买一张北京地图，几楼有可能卖？

(4) 三楼卖什么？

(5) 你想买一套童装，你应该上几楼？

(6) 如果你想买感冒药，几楼可能有？

(7) 成人的衣服在二楼还是在三楼卖？

(8) 你想买毛巾、牙刷和杯子，你应该去几楼买？

(9) 这家百货商店有没有活鱼、活虾卖？

(10) 你想买法国红葡萄酒，你要去几楼买？

(11) 你要买一张生日卡，你要上几楼？

**12** Prepare a similar personal file for yourself.

姓名：李海英

十二岁，上八年级，在美国出生，香港人

会说英语、法语和一点儿汉语

身高：1.52米　　　　眼睛：棕色

体重：35公斤　　　　头发：棕色

爱好：看书、看电影、打网球、拉小提琴、唱歌

最好的朋友：王利、金美文、孔明

最喜欢听的音乐：流行音乐　　　最喜欢看的书：小说

最喜欢看的电影：动画片　　　　最喜欢吃的东西：寿司

**13** Reading comprehension.

*a* 所有儿童服装、鞋、帽都半价！

*f* 要买日用百货？请到地下室。

*b* 去二楼买最新式的法国男、女服装！

*c* 意大利真皮大衣、皮鞋、皮包全都半价！

*d* 中、西式自助餐，在六楼咖啡厅。

*e* 儿童用品，在三楼。

True or false?

(　)(1) 小宝宝的用品可以在三楼买到。

(　)(2) 中式自助餐在三楼咖啡厅。

(　)(3) 意大利真皮大衣半价出售。

(　)(4) 儿童衣服半价。

(　)(5) 二楼只卖男装。

(　)(6) 地下室有牙刷、毛巾卖。

王成今年十三岁，上初中一年级。两年前他长得很胖，现在已经瘦了20多斤了，这是因为在这两年里，妈妈让他多吃蔬菜、水果，少吃肉。有时候他一星期只吃一次肉，一、两次鱼，两个鸡蛋。开始的时候，他总觉得肚子饿，一天到晚想吃肉，不想吃蔬菜和水果。时间长了，他慢慢开始喜欢吃蔬菜和水果了。他现在瘦了很多，身体更好了！

叶常今年十五岁，上初三。他什么东西都喜欢吃，最喜欢吃零食。他每天要吃一大堆零食。到了吃午饭和吃晚饭的时候，他总是不觉得饿，所以他午饭和晚饭都吃得不多。除了零食以外，他还喜欢吃水果。什么水果他都喜欢吃。

True or false?

(†) (1) 王成两年前比现在胖。

(f) (2) 王成现在瘦了，因为他天天吃肉。

(†) (3) 王成以前不喜欢吃蔬菜。

(†) (4) 叶常非常喜欢吃零食。

(f) (5) 叶常吃饭也吃得很多。

(f) (6) 叶常只喜欢吃零食，不喜欢吃水果。

**15** Reading comprehension. Write a similar one about one of your school events.

# 学校开放日

上个星期六是我们学校的开放日。那天天气很好，所以来学校的人很多，十分热闹。

那天校园变成了一个大"市场"。"市场"上有五花八门、各种各样的东西卖，还有二手衣服、鞋、包、日用品、图书卖。学校还为小朋友们安排了各种游戏。

我觉得那天最吸引人的地方是学校礼堂。那天礼堂变成了一个"多国餐厅"。在那里，你可以吃到中国、印度、意大利及其他东南亚国家的饭菜，还有各种西式糕点。很多家庭一家大小都到礼堂来吃午饭。我什么都想吃，可是吃的东西太多了，每样东西我只能吃一点儿。

True or false?

( )(1) 学校开放日那天来的人很多，真热闹。

( )(2) 那天，校园里有新东西卖，也有二手货卖。

( )(3) 那天，礼堂变成了"餐厅"。

( )(4) "餐厅"里的饭菜只有中式的，没有西式的。

( )(5) 在"餐厅"里，除了可以吃到中国饭，还可以吃到印度饭。

# 阅读 (七)　叶公好龙

**1**　True or false?

( )(1) 叶公非常喜欢龙。

( )(2) 叶公的房间里有十条
真龙。

( )(3) 叶公的衣服上绣着龙。

( )(4) 真龙生活在天上。

( )(5) 叶公很怕真龙。

**2**　Translation.

(1) the snow-white wall

(2) people who live nearby

(3) is deeply moved

(4) He was so frightened that his face
turned white.

**3**　Give the meaning of each word.

① 各 ＿＿＿＿
　 客 ＿＿＿＿

② 跑 ＿＿＿＿
　 饱 ＿＿＿＿

③ 市 ＿＿＿＿
　 柿 ＿＿＿＿

④ 受 ＿＿＿＿
　 爱 ＿＿＿＿

⑤ 透 ＿＿＿＿
　 绣 ＿＿＿＿

⑥ 下 ＿＿＿＿
　 吓 ＿＿＿＿

**4**　Give the meanings of the following phrases.

① 受 难受
　　 好受

② 窗 窗子
　　 窗户
　　 窗口

③ 绣 绣花针
　　 绣花鞋
　　 绣花衬衫

**86**

# 第十课　他最喜欢吃零食

**1** Match the Chinese with the pictures.

(a) 香肠　(f) 薯片

(b) 火腿　(g) 玉米片

(c) 饼干　(h) 巧克力

(d) 薯条　(i) 奶酪

(e) 鱼罐头　(j) 牛肉罐头

**2** Circle the right answer.

**1** 做蔬菜沙拉，你不用：

(a) 黄瓜　(b) 西红柿　(c) 火腿

(d) 胡萝卜　(e) 面条　(f) 生菜

**2** 做巧克力饼干，你不用：

(a) 黄油　(b) 糖　(c) 巧克力

(d) 面　(e) 蛋　(f) 果酱

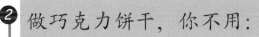

**3** 做三明治，你不用：

(a) 面包　(b) 生菜　(c) 豆浆

(d) 鸡肉　(e) 奶酪　(f) 巧克力

**4** 做蛋炒饭，你不用：

(a) 米饭　(b) 鸡蛋　(c) 奶酪

(d) 火腿　(e) 油　(f) 青豆

**3** Group the words according to their radicals.

(1) 缶 (jar) _____

(2) 皿 (utensil) _____

(3) 工 (work) _____

(4) 走 (walk) _____

(5) 羊（⺶）(sheep) _____

(6) 火 (fire)_____

| 美 | 盒 | 功 | 烤 |
| 罐 | 超 | 差 | 炸 |
| 越 | 巧 | 烧 | 炒 |

**4** Reading comprehension.

# 租船服务

七月～九月

星期一～星期六

10:00 ～ 4:00

（假期除外）

请电 3674 8299，王小姐

上船地点：天后码头

| 船号 | 人数 | 费用 | 卡拉OK费用 |
|---|---|---|---|
| J189 | 20人 | $1500 | $300 |
| S607 | 35人 | $1950 | $400 |
| Q413 | 60人 | $2500 | $500 |

（以上是租一天的费用）

Answer the questions.

(1) 你们一共有30个人，要租两天的船，不唱卡拉OK，费用一共是多少？

(2) 租Q413船三天，唱卡拉OK一天，费用一共是多少？

(3) 如果你们有15个人，租哪条船花钱最少？

**5** Translation.

(1) 风越刮越大，雨也越下越大。

(2) 白天越来越长了。

(3) 这里的空气越来越不好了。

(4) 中国的大熊猫越来越少了。

(5) 这几天，我的牙越来越疼了。

(6) 路上的车越来越多了。

(7) 她的日子过得越来越好了。

(8) 她越来越瘦了。

(9) 他越长越像他爸爸了。

(10) 雷声越来越近了。

**6** Categorize the following food.

(1) 零食、小吃有哪些？ _____

(2) 做三明治要用什么？ _____

(3) 哪些是罐头食品？ _____

(4) 哪些可以用来烧烤？ _____

(5) 哪些是蔬菜？ _____

(6) 哪些是水果？ _____

| 薯片 | 香肠 | 罐头牛肉 | 鸡腿 | 午餐肉 | 火腿 | 梨 |
| 饼干 | 面包 | 巧克力 | 薯条 | 牛肉干 | 糖果 | 虾 |
| 玉米 | 生菜 | 生鱼片 | 鱼干 | 鸡蛋 | 奶酪 | |
| 草莓 | 南瓜 | 梨罐头 | 桃子 | 胡萝卜 | 香蕉 | |

## 7 Fill in the blanks with the measure words in the box.

| 盘 | 罐 | 碗 | 杯 | 包 | 盒 |
|---|---|---|---|---|---|

(1) 我要一 ___ 炒面。

(2) 两 ___ 可乐五块钱。

(3) 我们要三 ___ 茶、两 ___ 咖啡。

(4) 请帮我拿一 ___ 玉米片, 好吗?

(5) 请问, 这 ___ 巧克力多少钱?

(6) 我们每个人要一 ___ 鱼片粥。

## 8 Guess the names of the following countries.

(1) 葡萄牙 _____

(2) 土耳其 _____

(3) 越南 _____

(4) 比利时 _____

(5) 古巴 _____

(6) 也门 _____

(7) 墨西哥 _____

## 9 True or false?

( ) (1) 法国人喜欢吃面包、奶酪, 喝葡萄酒。

( ) (2) 日本人喜欢吃生鱼片、寿司和饭团。

( ) (3) 英国人的快餐是: 炸鱼、炸薯条。

( ) (4) 在中国, 南方人喜欢吃米饭, 北方人喜欢吃面食。

( ) (5) 很多人喜欢喝可口可乐。

( ) (6) 香港是"美食天堂", 各国的饭菜都有。

( ) (7) 星期日, 英国人午餐通常吃烤鸭、烤土豆。

( ) (8) 德国的香肠很有名。

( ) (9) 比利时的巧克力世界有名。

( ) (10) 韩国人都喜欢吃意大利面。

**10** Translation.

(1) 他高兴极了。

(2) 今天的鸡汤好喝极了。

(3) 他唱的歌好听极了。

(4) 她做的饭好吃极了。

(5) 香港的高楼多极了。

(6) 他的英语差极了。

**11** Match the Chinese with the English.

(1) 太平洋    (a) the Pacific Ocean

(2) 大西洋    (b) the Indian Ocean

(3) 印度洋    (c) Antarctic Continent

(4) 北冰洋    (d) the Mediterranean (Sea)

(5) 南极洲    (e) the Atlantic Ocean

(6) 地中海    (f) the Arctic Ocean

**12** Give the meanings of the following phrases.

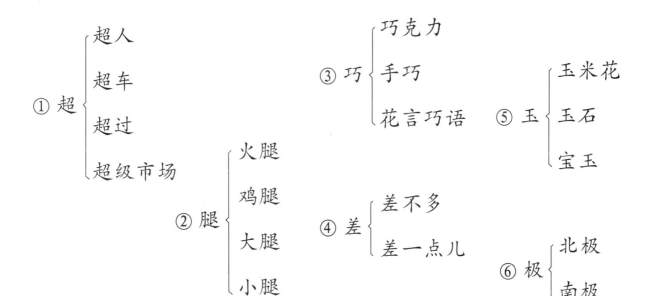

**13** Write a paragraph about your eating habits.

You should include:

一平时吃中餐还是吃西餐？    一喜欢吃什么肉？

一是不是喜欢吃快餐？    一喜欢吃什么零食？

一平时吃些什么蔬菜和水果？

## 14 True or false?

( )(1) 现在喜欢吃快餐的人越来越多了。

( )(2) 老年人喜欢吃炸薯条、炸鸡腿，喝可乐。

( )(3) 现在超级市场越来越多，菜市场越来越少了。

( )(4) 玉米片加牛奶是一种早餐。

( )(5) 在西方，很多人午饭吃三明治。

( )(6) 每天吃少量的巧克力对身体不好。

( )(7) 如果你每天吃一个苹果，你就不容易生病。

( )(8) 每天饮少量的红葡萄酒，其实对身体有利。

## 15 Choose the correct meaning for the dotted phrase.

(a) 艹 grass　(b) 火 fire

(1) 我们要一盘炒豆芽，好吗？

(a) bean sprout　(b) soya bean　(c) bean curd

(2) 我买了一包茉莉花茶。

(a) rose　(b) jasmine　(c) chrysanthemum

(3) 芒果是一种水果。

(a) durian　(b) mango　(c) coconut

(4) 天黑了，路灯亮了。

(a) moon　(b) road　(c) street lamp

(5) 现在很多公共场所都禁止吸烟。

(a) inhale　(b) smoking　(c) breathe

**16** Reading comprehension.

---

文胜，你好！

　　最近忙吗？你们学校有没有期末考试？你们什么时候放暑假？暑假要去哪儿度假？如果你要来北京，早点写信给我。

　　我们现在正在期末考试。我已经考了三门了，我觉得考得不错。下个星期我们要考数学、物理和化学。对我来说，这三门课越来越难了。

　　我们7月2日开始放暑假。今年暑假我和家人可能去日本度假，去两个星期，所以我8月3日到8月17日可能不在北京。我会写明信片给你的。我们下一个学年9月1日开学。

　　祝学习好，身体好！

　　　　　　　　　　　　　　　　　　　　王聪

　　　　　　　　　　　　　　2006 年 6 月 12 日于北京

---

Answer the questions.

(1) 王聪下个星期考什么？

(2) 王聪觉得物理难吗？

(3) 王聪什么时候开始放暑假？

(4) 王聪一家人暑假会去哪儿度假？

(5) 王聪的学校下一个学年什么时候开学？

# 阅读（八） 拔苗助长

**True or false?**

( )(1) 宋国的那个农民是个急性子。

( )(2) 农民从来不去他的田里看他的苗。

( )(3) 农民田里的苗长得很快。

( )(4) 农民去田里只拔高了一棵苗。

( )(5) 农民从田里回到家已经很累了。

( )(6) 农民拔过的苗都死了。

**2** **Give the meaning of each word.**

① { 发 ＿＿＿＿ 拔 ＿＿＿＿ } ② { 苗 ＿＿＿＿ 猫 ＿＿＿＿ } ③ { 课 ＿＿＿＿ 棵 ＿＿＿＿ } ④ { 姓 ＿＿＿＿ 性 ＿＿＿＿ 胜 ＿＿＿＿ } ⑤ { 紫 ＿＿＿＿ 系 ＿＿＿＿ 累 ＿＿＿＿ }

**3** **Give the meanings of the following phrases.**

① 性 { 急性子 慢性子 急性病 慢性病 性别 } ② 拔 { 拔牙 拔河 } ③ 棵 { 一棵苗 一棵大白菜 }

94

# 第十一课　人的身体需要各种营养

**1** Answer the questions.

| Good for your teeth: | | Bad for your teeth: | |
|---|---|---|---|
| (1) 干果 | (5) 奶酪 | (1) 蛋糕 | (6) 汽水 |
| (2) 玉米花 | (6) 桔子 | (2) 饼干 | (7) 葡萄干 |
| (3) 胡萝卜 | (7) 西红柿 | (3) 糖果 | (8) 口香糖 |
| (4) 牛奶 | | (4) 苹果汁 | (9) 花生酱 |
| | | (5) 可乐 | (10) 果酱 |

(1) 你经常吃零食吗？

(2) 你一般吃哪些零食？

(3) 你吃的零食对牙好不好？

(4) 吃太多糖果对牙好不好？

**2** Answer the questions.

(1) 牛肉主要含有什么营养？

(2) 青菜主要含有什么营养？

(3) 奶酪主要含有什么营养？

(4) 鸡蛋主要含有什么营养？

(5) 油条主要含有什么营养？

(6) 蔬菜沙拉主要含有什么营养？

(7) 三文鱼寿司主要含有什么营养？

(8) 烤土豆主要含有什么营养？

(9) 梨主要含有什么营养？

(10) 干果主要含有什么营养？

**3** Give the meanings of the following phrases.

(1) 无花果 _____

(2) 葡萄干 _____

(3) 口香糖 _____

(4) 玉米花 _____

(5) 紫菜 _____

(6) 红薯 _____

(7) 瓜子 _____

(8) 干果 _____

**4** Give the meaning of each word.

① 零 _____
   需 _____

⑤ 放 _____
   肪 _____

② 宫 _____
   营 _____

⑥ 谁 _____
   维 _____

③ 盾 _____
   质 _____

⑦ 暑 _____
   薯 _____

④ 指 _____
   脂 _____

⑧ 起 _____
   超 _____

**5** True or false?

男孩一天需要的卡路里

9 ～ 11 岁    2,200

12 ～ 14 岁   2,650

15 ～ 17 岁   2,900

女孩一天需要的卡路里

9 ～ 11 岁    2,000

12 ～ 14 岁   2,150

15 ～ 17 岁   2,150

( )(1) 总的来说，男孩需要的卡路里比女孩多。

( )(2) 12 ～ 17 岁的女孩每天需要 2,150 卡路里。

( )(3) 9 岁的男孩和 9 岁的女孩每天需要的卡路里一样多。

96

**6** Put the following food into the food pyramid.

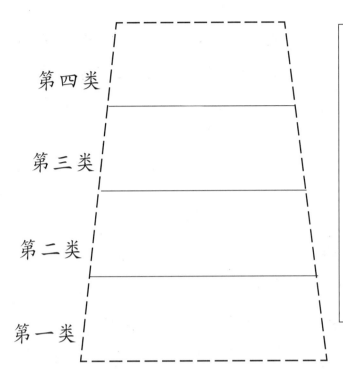

第四类

第三类

第二类

第一类

| 玉米片 | 香蕉 | 土豆 | 玉米 |
| 奶油蛋糕 | 猪肉 | 干果 | 面条 |
| 意大利面 | 鸡蛋 | 桔子 | 桃子 |
| 炸薯条 | 面包 | 牛肉 | 酸奶 |
| 卷心菜 | 火腿 | 葡萄 | 米饭 |
| 巧克力 | 鸭蛋 | 梨 | 糖 |

**7** Find the opposites.

短 高 来
热 去 直 冷 脚
胖 好 饱 饿
早 头 瘦
差 长
晚 矮 卷

(1) 早 → 晚

(2)

(3)

(4)

(5)

(6)

(7)

(8)

(9)

(10)

**1**

张健早饭一般喝一杯豆浆，吃两片面包和一根香蕉。午饭在学校吃一个三明治。晚饭通常吃米饭、海鲜、肉、炒菜等。他不常吃甜食。

**2**

小明只喜欢吃鱼、肉、蛋。他不喜欢吃水果，更不喜欢吃蔬菜。他还喜欢吃零食，比如糖果、饼干、巧克力等。他一天喝好几罐可乐。他不喜欢运动。

**3**

高英吃素。她从来都不吃早饭。每天课间休息的时候，她只吃一小包薯片或一块巧克力。她午饭吃一小盘蔬菜沙拉和一个苹果。晚饭通常吃鸡蛋、面包，喝一碗菜汤。睡觉以前她喝一杯牛奶。

Answer the questions.

(1) 张健早饭吃什么？

(2) 张健晚饭吃中餐还是西餐？

(3) 小明不喜欢吃什么？

(4) 小明为什么胖？

(5) 高英吃肉吗？

(6) 高英晚饭时喝什么？

**9** Describe the food below. Choose the words in the box.

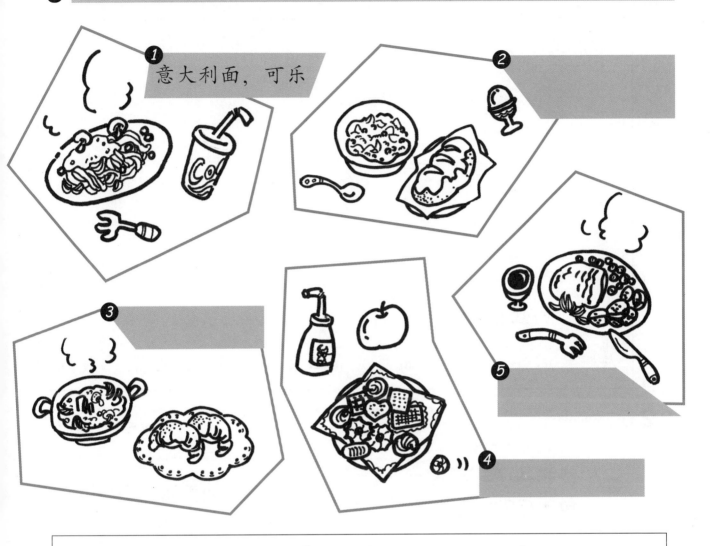

① 意大利面，可乐

---

| 牛角包 | 苹果 | ~~可乐~~ | 蔬菜汤 | 酸奶 | 牛排 | 饼干 |
| 青豆 | 面包 | 鸡蛋 | 土豆 | 水果沙拉 | ~~意大利面~~ | 葡萄酒 |

**10** Translation.

(1) 快餐一般都含有大量脂肪。

(2) 她每天吃两片维他命c。

(3) 祝爸爸、妈妈身体健康！

(4) 十月以后天气慢慢转凉了。

(5) 他们家房子很大，有三室两厅。

(6) 你需要休息几天，在家好好养病。

## 11 Categorize the food according to their nutrients.

| 碳水化合物 | 蛋白质 | 维生素 | 矿物质 | 脂肪 | 纤维 |
|---|---|---|---|---|---|
|  |  |  |  |  |  |

鸡蛋　奶酪　炸薯条　香肠　火腿　薯片　玉米　巧克力

草莓　西红柿　桃子　胡萝卜　青菜　菜花　蛋糕　猪肉

龙虾　面条　干果　葡萄　卷心菜　豆腐干　生菜　黄瓜

## 12 Translation.

**1** 热狗两个、薯片一包、可乐一罐

**2** 烤瘦牛肉一片、烤土豆一个、一些青豆、一杯牛奶

**3** 炒蛋、玉米加黄油、薯条、巧克力蛋糕、全脂牛奶一杯

**4** 一碗米饭、一小盘炒青菜、一条鱼、一杯绿茶

## 13 True or false?

( )(1) 经常吃快餐对身体不好。

( )(2) 西瓜和冬瓜都是水果。

( )(3) 草莓是水果，南瓜是蔬菜。

( )(4) 小孩吃完糖后应该刷牙。

( )(5) 土豆主要含碳水化合物。

( )(6) 牛奶含有多种营养。

( )(7) 鱼肉中主要含有蛋白质和碳水化合物。

( )(8) 蔬菜含有大量的维生素和纤维。

## 14 Reading comprehension.

**a**

很多中国人早餐都喜欢吃粥，最常吃的是白粥。吃白粥时，人们喜欢就酱菜、萝卜干、炒蛋或其他小菜。广东人吃的粥五花八门，比如有鱼片粥、牛肉粥、皮蛋瘦肉粥、猪红粥等。

**b**

如果你去中国，你可以吃到各种各样的食物。有些食物你从来也没有吃过，比如猪耳朵、鸭肠子等。但是有一种食品中国人很少吃，那就是奶酪。

**c**

法国人喜欢早餐吃牛角包、面包，抹果酱或黄油，也喜欢喝咖啡。有的人喜欢在咖啡里加糖和牛奶。

**d**

水果和蔬菜都含有大量的维生素，但是蔬菜中的矿物质比水果中的矿物质多，所以在日常饮食中，蔬菜、水果都要吃。

True or false?

( )(1) 广东人吃的粥有好多种。

( )(2) 中国人很喜欢吃奶酪。

( )(3) 法国人早餐不喜欢吃面包。

( )(4) 蔬菜不含矿物质。

( )(5) 日常饮食中，人们只需吃水果，不用吃蔬菜。

## 15 Give the meanings of the following phrases.

① 健 {
健康
健美
健身操
健身房
}

② 矿 {
铁矿
矿工
矿山
矿物质
}

③ 素 {
吃素
素食
}

④ 营 {
营养
营业时间
}

⑤ 命 {
维他命
生命
长命百岁
}

## 16 Reading comprehension.

现在亚洲人的饮食越来越西化了。以前亚洲人一日三餐都吃米饭，现在很多人早饭吃面包和奶类食品。

在商店里你可以看到各种各样的西式食品，比如面包、西饼糕点、薯片、罐头食品、各种汽水、果汁、意大利面条、玉米片、黄油、奶酪等等。

以前亚洲人不喜欢喝牛奶，只有一小部分人早餐喝牛奶，可是现在人们知道牛奶含有多种营养，对身体很好，也就喜欢喝了。现在的食品店里，奶类食品的品种很多，就拿酸奶来说，就有十几种。

Answer the questions.

(1) 亚洲人以前每餐主要吃什么？

(2) 现在有些亚洲人早餐吃什么？

(3) 现在人们为什么喜欢喝牛奶了？

(4) 西式食品有哪些？

**17** Choose the right word.

(1) 我们学校今年（需／零）要买二十部电脑。

(2) 蔬菜和水果都含有大量（谁／维）生素。

(3) 油炸食品中（脂／指）肪很多。

(4) 人体从食物中得到（营／宫）养。

**18** Write one sentence for each picture.

Example

肉主要含有蛋白质和矿物质。

# 阅读（九） 一举两得

**1** Give the meanings of the following words / phrases.

(1) 牛 _____    (4) 狗 _____    (7) 猫 _____    (10) 虾 _____

(2) 龙 _____    (5) 熊 _____    (8) 老虎 _____    (11) 鱼 _____

(3) 马 _____    (6) 熊猫 _____    (9) 大象 _____    (12) 鸟 _____

**2** Translation.

(1) at the foot of the mountain

(2) the injured tiger

(3) fight for the dead ox

(4) as expected

(5) get two tigers at the same time

(6) the two tigers will definitely fight

**3** Give the meaning of each word.

① 兴 _____   举 _____    ② 争 _____   筝 _____    ③ 半 _____   伴 _____    ④ 脸 _____   剑 _____    ⑤ 头 _____   斗 _____

**4** Give the meanings of the following phrases.

① 伤 ｛ 伤风   伤口   伤心   受伤

② 斗 ｛ 斗牛   斗鸡   斗争

③ 虎 ｛ 老虎   马马虎虎

④ 举 ｛ 举手   举重

# 生词

第九课　　　市场　蔬菜　水果　新鲜　常见　土豆　四季豆　南瓜

　　　　　　西瓜　黄瓜　卷心菜　菜花　西红柿　胡萝卜　苹果　梨

　　　　　　葡萄　香蕉　桃子　李子　草莓　热闹

叶公好龙　十分　喜爱　房间　窗　雪白　巨　绣

受感动　亲自　客厅　书房　吓

第十课　　　零食　一天到晚　玉米片　香肠　盒饭　火腿　鸡腿　奶酪

　　　　　　罐　（可口）可乐　炸　薯条　薯片　巧克力　饼干　糖果

　　　　　　……极了　超级市场　越……越……　差

拔苗助长　急性子　农民　办法　动手　棵　累坏了　这么

第十一课　　需要　营养　得到　食物＝食品　主食　含　碳水化合物

　　　　　　维他命＝维生素　蛋白质　糕饼　大量　脂肪　健康

　　　　　　纤维　矿物质

一举两得　山脚下　老虎　争　杀死　同伴　一定

打斗　最后　受伤　同时　剑

# 总复习

1. Fruit, vegetables, food and nutrients

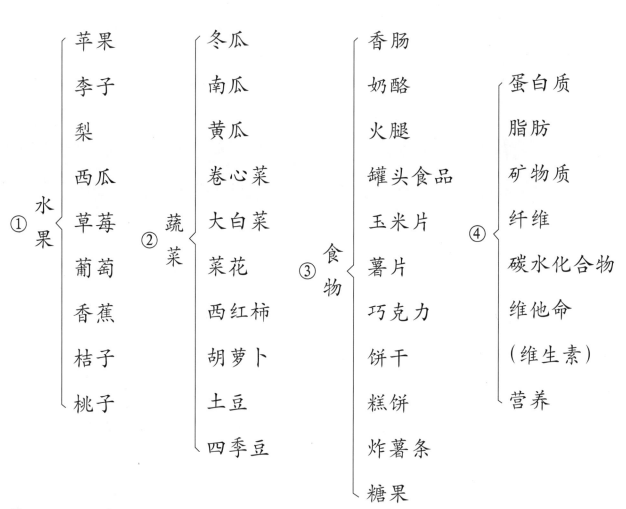

① 水果
苹果
李子
梨
西瓜
草莓
葡萄
香蕉
桔子
桃子

② 蔬菜
冬瓜
南瓜
黄瓜
卷心菜
大白菜
菜花
西红柿
胡萝卜
土豆
四季豆

③ 食物
香肠
奶酪
火腿
罐头食品
玉米片
薯片
巧克力
饼干
糕饼
炸薯条
糖果

④
蛋白质
脂肪
矿物质
纤维
碳水化合物
维他命
（维生素）
营养

2. Measure words

(1) 一罐可乐    (2) 一盒巧克力    (3) 一棵苗    (4) 一只老虎

3. Verbs

绣        受感动        亲自        吓        拔        帮助        动手

举        争        杀        斗        受伤        需要        含有        得到

4. Adjectives and adverbs

新鲜　常见　热闹　十分　雪白　差　累　一定

健康　最后　……极了　大量　同时　这么　巨

5. Conjunctions

(1) 越来越……　　　　天气越来越冷了。

(2) 越……越……　　　他的同伴越等越着急。

6. Radicals

皿　酉　缶　广　鱼　工　走　羊

7. Questions and answers

(1) 你常吃什么水果？　苹果、香蕉。

(2) 你喜欢吃什么蔬菜？　四季豆、菜花等。

(3) 你家附近有菜市场吗？　没有。

(4) 你通常去哪儿买蔬菜、水果？　超级市场。

(5) 你喜欢吃零食吗？　喜欢。

(6) 在学校你午饭吃什么？　吃盒饭。

(7) 你的房间里有几个窗子？　一个。

(8) 你房间的墙是什么颜色的？　白色的。

(9) 你看见过老虎吗？　看见过。

(10) 你帮妈妈做饭吗？　有时候帮。

# 测验

## 1  True or false?

( )(1) 巧克力含有大量脂肪。

( )(2) 西瓜是一种蔬菜。

( )(3) 奶酪是用黄豆做的。

( )(4) 米和面都不是主食。

( )(5) 法国的葡萄酒很有名。

## 2  List the following in Chinese.

## 3  Fill in the blanks with the measure words in the box.

罐　件　盒　只　棵　条

(1) 两 _____ 可乐

(2) 三 _____ 巧克力

(3) 四 _____ 大白菜

(4) 五 _____ 老虎

(5) 六 _____ 绣花睡衣

(6) 七 _____ 巨龙

## 4  Translation.

(1) 这种病很常见。

(2) 多吃水果对身体好。

(3) 姐姐常常帮妈妈做饭。

(4) 祝爸爸、妈妈身体健康!

(5) 他的腿受伤了，不能走路了。

(6) 菜市场里的蔬菜都挺新鲜的。

(7) 他越吃越胖。

(8) 雨越下越大了。

## 5 Choose the right word.

(1) 叶公家里的墙上、门上、窗上都（刻／该）了很多龙。

(2) 叶公的衣服上也（透／绣）上了巨龙。

(3) 天上的真龙很（受／爱）感动。

(4) 宋国有个急（性／姓）子的农民。

(5) 两只老虎正在（筝／争）吃一（斗／头）死牛。

(6) （炸／昨）薯条里含有大量（指／脂）肪。

(7) 蔬菜、水果中含有大量维生（系／素）。

## 6 Answer the questions.

### 烧烤

| | | |
|---|---|---|
| 猪排 | 每斤 | ￥25.00 |
| 牛排 | 每斤 | ￥30.00 |
| 羊排 | 每斤 | ￥36.00 |
| 生鱼片 | 每斤 | ￥40.00 |
| 鸡腿 | 每斤 | ￥20.00 |
| 小香肠 | 每斤 | ￥15.00 |
| 玉米 | 每斤 | ￥8.00 |
| 红薯 | 每斤 | ￥5.00 |
| 生菜沙拉 | 每盘 | ￥40.00 |
| 水果沙拉 | 每盘 | ￥38.00 |
| 可乐 | 一罐 | ￥6.00 |

(1) 如果你要一斤猪排、一斤鸡腿、一斤香肠、一盘生菜沙拉、六罐可乐，一共要花多少钱？

(2) 小明一家五口去烧烤。他们要了一斤牛排、一斤玉米、一斤红薯、一斤鸡腿、一盘水果沙拉、五罐可乐。他们一共花了多少钱？

## 7 Answer the following questions.

(1) 你昨天吃了什么蔬菜、水果？

(2) 昨天你一日三餐吃了什么？

(3) 你平时喜欢吃哪些零食？

(4) 在你们国家人们常吃哪些水果？

(5) 做蛋糕需要什么？

(6) 你们教室里的墙是什么颜色的？

(7) 你家附近的超级市场叫什么名字？

## 8 Write an account of your last birthday.

You should include:

—谁来参加你的生日会

—你们在一起吃了什么

—做了什么活动

—你觉得生日会过得怎么样

## 9 Extended reading.

### 多吃水果好吗？

　　水果里含有人体需要的多种维生素，而且味道鲜美。许多家长认为，儿童多吃糖不好，但多吃水果没有害处。

　　吃水果有利于健康，但有些水果吃多了也会有害。例如：草莓、杏、李子等水果，儿童吃多了容易引起中毒；荔枝吃多了，会引起腹痛、腹泻；桔子吃多了，容易上火；梨吃多了，容易伤胃；柿子吃多了，可导致"胃结石"。

　　因此，水果并不是多吃无害。

True or false?

( )(1) 水果吃得越多越好。

( )(2) 小孩吃太多糖不好。

( )(3) 苹果吃多了会中毒。

( )(4) 荔枝吃多了，会拉肚子。

( )(5) 胃不好的人不应该吃太多的梨。

( )(6) 胃结石就是胃里长石头。

# 第四单元　买东西

## 第十二课　大减价的时候商店里很热闹

**1**　Write the following in Chinese.

(1) 30% 百分之三十

(2) 1/2 二分之一

(3) 20% off 打八折

(4) 95%

(5) 10% off

(6) 50% off

(7) 5/7

(8) 75%

(9) 15% off

(10) 2/5

(11) 40%

(12) 2/3

**2**　Match the Chinese with the English.

(1) 减价　　　(a) cheque

(2) 营业员　　(b) reduce the price

(3) 信用卡　　(c) customer

(4) 支票　　　(d) shop assistant

(5) 顾客　　　(e) cash

(6) 店员　　　(f) cheap

(7) 现金　　　(g) credit card

(8) 贵　　　　(h) expensive

(9) 便宜

(10) 售货员

**3**　Write the prices in Chinese.

❶ 原价￥105.00，打九折
现价：九十四块五毛

❷ 原价￥8.00，打八五折
现价：＿＿＿＿＿＿＿

❸ 原价￥23.00，打七折
现价：＿＿＿＿＿＿＿

❹ 原价￥15.00，打八折
现价：＿＿＿＿＿＿＿

## 4　Answer the questions.

**a**

### 通 知

一到六年级的同学，放学以后请去礼堂开会。

校长室　9月7日

**b**

三月一日到三月三十一日，买200块以上的商品一律打八折。

大兴百货商店

**c**

春节期间（初一到初五），自助餐成人八折，小孩半价。

春园饭店

**d**

本服装店换季大减价，所有服装七折起出售。

时新服装店

**e**

最后三日，六折出售所有货品。

心意礼品店
9月24日

**f**

六月一日儿童节所有文具、玩具半价出售。

欢欢玩具店

(1) 四年级的同学放学后要不要去礼堂开会？

(2) 3月15日去大兴百货商店买400块钱的东西，应该付多少钱？

(3) 10月1日这天心意礼品店里的东西还打不打折？

(4) 如果年初三去春园饭店吃自助餐，小孩打几折？

(5) 时新服装店里的衣服打几折？

(6) 欢欢玩具店里的笔，哪天打折？

**5** Act out the following dialogues.

Example

顾客 | 这块手表是不是坏了？

不会吧，可能电池没电了。我帮您换一节新的电池。 | 售货员

| | 顾 客 | 售货员 |
|---|---|---|
| ❶ | 这块黄油过期了。我可以退货吗？ | 不可以退，但是我可以换一块给您。请等一下，我去拿。 |
| ❷ | 这包果汁过期了，不能喝了。我可以换吗？ | 当然可以，您自己再去拿一包吧！ |
| ❸ | 这个面包过期了。我可以换一个吗？ | 对不起，这种面包卖完了。您可以换其他的面包。 |
| ❹ | 这块蛋糕里有一个小虫子。我可以退钱吗？ | 真对不起，当然可以退钱。 |
| ❺ | 这盘带子是坏的。能不能换一盘？ | 当然可以。我去帮您拿一盘新的。 |
| ❻ | 这部电视机太贵了。有没有便宜一点儿的？ | 有。您看一下这部，价格比较便宜，质量也不错。 |

# 6 Translation.

(1) 妈妈，我晚饭吃完了。

(2) 妈妈，你给我的面条太多了，我吃不完。

(3) 同学们，你们听明白了吗？

(4) 老师，您说得太快，我听不明白。

(5) 老师，这张油画我画好了。

(6) 老师，这张水彩画我今天画不完。

(7) 他看了一天的书，看完了三本小说。

(8) 小明做完了今天的作业。

# 7 Choose the correct meaning for the dotted word / phrase.

(1) 坐公共汽车要小心扒手。

(a) 扌 hand　　(b) 车 vehicle

(a) pick-pocket　　(b) thief　　(c) robber

(2) 请大家把安全带扣好。

(a) fasten　　(b) tighten　　(c) lift

(3) 他想在暑假里打点儿工，挣点儿零用钱。

(a) grab　　(b) fight　　(c) earn

(4) 他家最近买了一辆新车。 (a) vehicle　　(b) two　　(c) measure word

(5) 她看上去很年轻，不到二十岁。 (a) light　　(b) young　　(c) old

# 8 Make up phrases.

(1) ＿＿＿客→客人

(2) 减价→价＿＿＿

(3) 草原→原＿＿＿

(4) ＿＿＿售→售货员

(5) 付钱→钱＿＿＿

(6) 如今→今＿＿＿

(7) 蛋白质→质＿＿＿

(8) 果然→然＿＿＿

(9) ＿＿＿干→干果

**9** Read the passage and then write a similar one.

> 　　我跟彩云经常去"格格服装店"买衣服。我们的衣服大都是从那儿买来的。格格服装店里的衣服都是从日本进口的，式样新，价钱平。还有，买衣服时你可以试穿，买回去的衣服也可以拿回来退换。
>
> 　　格格服装店今天开始换季大减价。他们为了吸引更多的顾客，店里所有的衣服都打了折，连新到的衣服也打了九折。彩云看中了一件毛衣和一条裤子，我看中了一件衬衫和一条连衣裙。最后我们都买下了自己喜欢的衣服。

You should include:

—你常去哪家服装店买衣服？　　　　—你最近有没有去那家店买衣服？

—你为什么喜欢那家服装店？

—那家店跟其他店有什么不同？　　　—你最近买了什么衣服？

**10** Change the sentences into the "把" structure.

(1) 我写完信了。→我把信写完了。

(2) 他戴上了眼镜。

(3) 他做完了今天的作业。

(4) 她穿上了大衣。

(5) 妈妈买下了那条裙子。

(6) 他退了那件衬衫。

# 二手货广告

**①**

男式皮外套

中号、黑色、全新、

半价 $ 300.00

电话： 2896 4419

**②**

电吉他（两把）

八成新，$ 150.00（每把）

电话： 5476 2114

**③**

小狗、棕色、五个星期大

电话： 9677 2843

**④**

IBM 电脑，两年，

带游戏， $ 800.00

电话： 2864 7211

**⑤**

电视机 21″

彩色，立体声，

五年， $ 750.00

电话： 2545 1198

**⑥**

YAMAHA 电子琴

九成新，一年，黑色

$ 1200.00

电话： 2897 8532

**12** Give the meanings of the following phrases.

① 换 ⎰ 换车
换季
换钱
换牙
换衣服 ⎱

② 原 ⎰ 原价
原因
草原
平原
高原 ⎱

③ 售 ⎰ 出售
售价
售票员
售货员 ⎱

④ 贵 ⎰ 贵姓
贵重
宝贵 ⎱

⑤ 顾 ⎰ 顾客
顾问 ⎱

**13** Give the meaning of each word.

① 更 ＿＿＿＿＿
　　便 ＿＿＿＿＿

③ 感 ＿＿＿＿＿
　　减 ＿＿＿＿＿

⑤ 货 ＿＿＿＿＿
　　贵 ＿＿＿＿＿

⑦ 友 ＿＿＿＿＿
　　支 ＿＿＿＿＿

② 宜 ＿＿＿＿＿
　　姐 ＿＿＿＿＿

④ 饺 ＿＿＿＿＿
　　较 ＿＿＿＿＿

⑥ 新 ＿＿＿＿＿
　　折 ＿＿＿＿＿

⑧ 对 ＿＿＿＿＿
　　付 ＿＿＿＿＿

**14** Answer the following questions.

(1) 你喜欢买减价的东西吗?

(2) 你经常买贵的还是便宜的东西?

(3) 你买东西时一般付现金还是用信用卡?

(4) 你有没有从网上买过东西? 你买过什么东西?

(5) 你家附近的超级市场叫什么名字?

(6) 你买东西喜欢去大商场还是去小商店?

**15** Find the phrases. Write them out.

| 如 | 今 | 炒 | 菜 | 花 |
|---|---|---|---|---|
| 母 | 鸡 | 蛋 | 糕 | 点 |
| 鱼 | 汤 | 白 | 饼 | 干 |
| 矿 | 物 | 质 | 量 | 杯 |
| 山 | 维 | 生 | 素 | 食 |

(1) ＿＿＿＿＿

(2) ＿＿＿＿＿

(3) ＿＿＿＿＿

(4) ＿＿＿＿＿

(5) ＿＿＿＿＿

(6) ＿＿＿＿＿

(7) ＿＿＿＿＿

(8) ＿＿＿＿＿

(9) ＿＿＿＿＿

(10) ＿＿＿＿＿

(11) ＿＿＿＿＿

(12) ＿＿＿＿＿

## 16 Translation.

(1) 他走进房间去了。

(2) 你出来一下，可以吗？

(3) 我带了一些朋友来。

(4) 他一见到妈妈，就高兴地叫了起来。

(5) 春天来了，天气暖和起来了。

(6) 这几天，我们又忙起来了。

(7) 外面下起雨来了！

(8) 他们一边听，一边唱了起来。

(9) 我的电话号码你写下来了吗？

(10) 我一走进去，他就不说话了。

(11) 雨一停，孩子们就出去玩了。

(12) 请进来坐一下，喝杯茶。

(13) 请你马上出去！

(14) 他回学校去了。

## 17 Choose the answers which apply to you.

(1) 我 _____。
  (a) 身体非常健康
  (b) 不常生病
  (c) 常常生病

(2) 我汉字写得 _____。
  (a) 很漂亮
  (b) 不太好看
  (c) 一般

(3) 我汉语说得 _____。
  (a) 很流利　(b) 不流利
  (c) 很慢　(d) 不好　(e) 很差

(4) 我唱歌唱得 _____。
  (a) 很难听
  (b) 一般
  (c) 很好听

(5) 我做饭做得 _____。
  (a) 很好吃
  (b) 一般
  (c) 很难吃

(6) 我长得 _____。
  (a) 很好看　(b) 一般
  (c) 很难看　(d) 很漂亮

# 阅读（十）　刻舟求剑

**1** Answer the questions.

(1) 楚国人是怎样过江的？

(2) 什么东西从船上掉进了江里？

(3) 剑掉到江里以后，他有没有马上跳进水里去找他的宝剑？

(4) 他最后找到他的宝剑没有？

**2** Give the meaning of each word.

① 求 ＿＿＿＿
　 球 ＿＿＿＿

② 干 ＿＿＿＿
　 赶 ＿＿＿＿

③ 起 ＿＿＿＿
　 记 ＿＿＿＿

④ 本 ＿＿＿＿
　 笨 ＿＿＿＿

⑤ 包 ＿＿＿＿
　 跑 ＿＿＿＿

**3** Give the meanings of the following phrases.

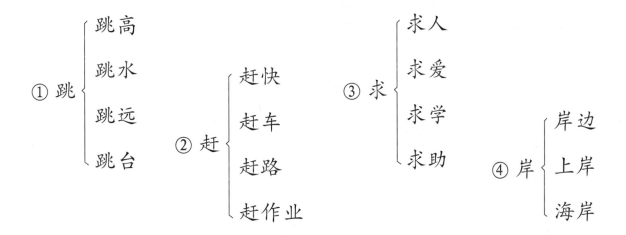

① 跳 ｛ 跳高　跳水　跳远　跳台

② 赶 ｛ 赶快　赶车　赶路　赶作业

③ 求 ｛ 求人　求爱　求学　求助

④ 岸 ｛ 岸边　上岸　海岸

**4** Fill in the blanks in Chinese.

一天，有个楚国人＿＿＿＿船过江。船到江心的＿＿＿＿候，他的宝剑不小心掉到江＿＿＿＿了。他赶快用刀在船＿＿＿＿刻了一个记＿＿＿＿。他说：“我＿＿＿＿宝剑就是从这＿＿＿＿掉下去的。”

# 第十三课　我家附近新开了一家便利店

**1** Choose the phrases in the box.

| | | | |
|---|---|---|---|
| 相机 | 牙刷 | 牙膏 | 笔记本 |
| 课本 | 铅笔 | 文具盒 | 日记本 |
| 钢笔 | 尺子 | 卷笔刀 | 三角尺 |
| 橡皮 | 字典 | 练习本 | 图画本 |
| 直尺 | 报纸 | 方格本 | 彩色笔 |

(1) 哪些东西应该放在铅笔盒里？

_____

_____

_____

(2) 哪些东西应该放在书包里？

_____

_____

_____

**2** Fill in the blanks with the measure words in the box.

| | | | | | | | | | | |
|---|---|---|---|---|---|---|---|---|---|---|
| 块 | 只 | 把 | 支 | 部 | 件 | 张 | 节 | 本 | 个 | 包 |

(1) 两 ___ 牙刷　　(5) 一 ___ 上衣　　(9) 一 ___ 相框　　(13) 一 ___ 雨衣

(2) 一 ___ 相机　　(6) 一 ___ 报纸　　(10) 一 ___ 相册　　(14) 一 ___ 饼干

(3) 四 ___ 电池　　(7) 一 ___ 橡皮　　(11) 一 ___ 文具盒　　(15) 一 ___ 杂志

(4) 三 ___ 笔　　(8) 一 ___ 笔记本　　(12) 一 ___ 菜刀　　(16) 一 ___ 熊猫

## 13

**3** Give the meanings of the following phrases.

(1) 铁饼 _____

(2) 铅球 _____

(3) 跳高 _____

(4) 跳马 _____

(5) 4 × 100 接力赛 _____

(6) 三级跳远 _____

(7) 百米短跑 _____

(8) 1500 米长跑 _____

**4** Find the phrases. Write them out.

| 方 | 礼 | 杂 | 志 | 油 |
|---|---|---|---|---|
| 便 | 宜 | 品 | 报 | 画 |
| 利 | 相 | 框 | 纸 | 币 |
| 店 | 片 | 册 | 杯 | 面 |

(1) _____    (5) _____

(2) _____    (6) _____

(3) _____    (7) _____

(4) _____    (8) _____

**5** Label the food and drinks in Chinese.

**1** sweets

**2** fruit

**3** vegetables

**4** potato

**5** rice

**6** juice

**7** egg
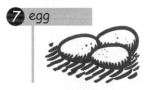

**8** butter
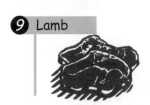

**9** Lamb

**10** bread

**11** drinks

**12** cheese

**13** milk

**14** fish

## 6 Answer the questions.

**a** 所有的日用品一律七折出售

**b** 电视机、电话机打六折

**c** 罐头食品打七五折

**d** 男、女服装打八折

**e** 运动衣半价出售

**f** 床上用品打六五折

**g** 所有文具打七折

(1) 一张床单原价160块，打折后是多少钱？

(2) 一套运动衣原价是180块，现价是多少？

(3) 日立彩色电视机打几折？

(4) 一件绣花衬衫原价是120块，打折后的价钱是多少？

(5) 牙刷、牙膏打几折？

(6) 两支钢笔、一块橡皮原价一共56块，打折后可以便宜多少钱？

(7) 鱼罐头有没有打折？

## 7 Give the meanings of the following phrases. Pay attention to the radicals of the dotted characters.

① 鸡蛋 ＿＿＿＿＿
   清楚 ＿＿＿＿＿

② 橡皮 ＿＿＿＿＿
   相框 ＿＿＿＿＿

③ 铅笔 ＿＿＿＿＿
   英镑 ＿＿＿＿＿

④ 炸薯条 ＿＿＿＿＿
   烧烤 ＿＿＿＿＿

⑤ 退换 ＿＿＿＿＿
   拔苗助长 ＿＿＿＿＿
   报纸 ＿＿＿＿＿
   打折 ＿＿＿＿＿

⑥ 香肠 ＿＿＿＿＿
   脂肪 ＿＿＿＿＿

⑦ 练习本 ＿＿＿＿＿
   维生素 ＿＿＿＿＿

**8** Find the odd one out.

(1) 英镑　美元　欧元　公元前

(2) 铅笔　皮球　橡皮　钢笔

(3) 牙膏　毛巾　牙医　牙刷

(4) 茶杯　报纸　杂志　小说

(5) 长相　相机　相框　相册

(6) 直尺　尺码　卷尺　三角尺

**9** Match the Chinese with the English.

(1) 北京青年报　(a) Apple Daily

(2) 中国少年报　(b) People's Daily

(3) 人民日报　(c) Oriental Daily

(4) 光明日报　(d) China Children's Daily

(5) 东方日报　(e) Guangming Daily

(6) 苹果日报　(f) Beijing Youth Daily

**10** Choose the items that you need for each task.

口红　香水　英镑　机票

游泳衣　游泳裤　牙刷

牙膏　茶杯　杯子　袜子

运动鞋　外套　雨衣

牛仔裤　太阳镜（墨镜）

太阳帽（草帽）　滑雪衣

滑雪裤　毛衣　相机

直尺　三角尺　卷尺

铅笔　橡皮　白纸

口香糖　毛巾　纸巾

汗衫　短裤　日元

(1) 明年一月你去日本滑雪。你应该带什么东西去？

(2) 你今天有数学考试。你应该带什么文具进考场？

(3) 今年夏天你要去英国玩一个月。英国夏天天气多变，气温通常在20～25℃，但有时候也会很热，30℃以上，还常常下雨。你应该带什么去？

## 11 Translation.

(1) 请把电视关上。

(2) 请把窗子关上。

(3) 请把门打开。

(4) 请把鞋放好。

(5) 请把书打开。

(6) 请把大衣穿上。

(7) 请把牛奶拿过来。

(8) 先把作业做完再出去玩。

(9) 先把药吃了再吃饭。

(10) 先把学费交了，然后去买课本。

## 12 Reading comprehension.

新 胜 书 店

周 末 大 减 价

所有图书、文具一律八折出售

营业时间：上午十点－下午五点

美美服装店

换季大减价

4月2日～4月8日

男、女服装：大衣、毛衣、

泳衣、外套、

西装、衬衫等。

营业时间：上午9点－晚上9点

True or false?

( )(1) 美美时装店每个月都大减价。

( )(2) 美美时装店不卖儿童服装。

( )(3) 在新胜书店，你可以买到练习本。

( )(4) 新胜书店也卖牙膏。

( )(5) 新胜书店里所有的玩具都便宜 20%。

**13** Change the following sentences into the "把" structure.

(1) 他借走了 我的尺子 。

→ 他把我的尺子借走了。

(4) 爸爸修好了 相机 。

→

(2) 她花完了 这个月的零用钱 。

→

(5) 小偷偷走了 学校的两部电脑 。

→

(3) 他退掉了 他刚买的相框 。

→

(6) 他烧掉了 所有的信 。

→

**14** Choose the correct meaning for the dotted word / phrase.

(a) 木 wood; tree　　(b) 纟 silk

(1) 我房间里有一个大书架。

(a) TV set　(b) bookshelf　(c) big book

(2) 今天这幢楼里的电梯坏了。

(a) lift　　(b) stairs　　(c) flyover

(3) 我家后院有一棵苹果树。

(a) pie　　(b) flower　　(c) tree

(4) 这种毛线又好看又便宜。

(a) knitting wool　(b) thread　(c) hair

(5) "丝绸之路"是中国古代的

一条商路。

(a) silk　　(b) cotton　　(c) fabric

**15** Give the meanings of the following phrases.

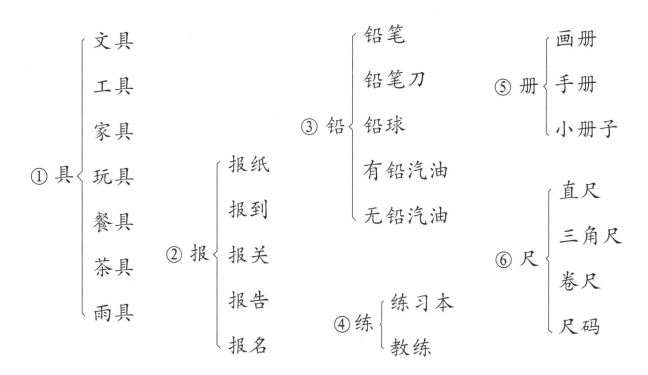

① 具 ｛ 文具　工具　家具　玩具　餐具　茶具　雨具

② 报 ｛ 报纸　报到　报关　报告　报名

③ 铅 ｛ 铅笔　铅笔刀　铅球　有铅汽油　无铅汽油

④ 练 ｛ 练习本　教练

⑤ 册 ｛ 画册　手册　小册子

⑥ 尺 ｛ 直尺　三角尺　卷尺　尺码

**16** Which magazine are you going to read?

(1) 你想知道别人怎样教育孩子，你会看＿＿杂志。

(2) 你对足球很感兴趣，你会看＿＿杂志。

(3) ＿＿杂志会告诉你今年流行什么颜色、什么式样的衣服。

(4) 你对中国很感兴趣，想知道更多关于中国的事，你会看＿＿。

(5) 你想知道中国的青年人在想什么、做什么、喜欢什么，你会看＿＿杂志。

## 17 Sort out the following items in the box.

矮　　香蕉　　高　　葡萄
薯片　　糖果　　铅笔　丑
梨　　苹果　　橡皮　胖
瘦　　草莓　　碗　　饼干
葡萄干　干果　　漂亮　钢笔
三角尺　笔记本　李子　西瓜

(1) 文具 _____

(2) 小吃 _____

(3) 长相 _____

(4) 水果 _____

## 18 Translation.

(1) 请把帽子戴上。

(2) Please put on your sweater.

(3) 服务员把你的大衣拿来了。

(4) Mum has brought you the dictionary.

(5) 我找到了我的橡皮。

(6) I have finished my oil painting.

(7) 你给我的饭太多了，我吃不完。

(8) You have given us too much homework, we cannot finish.

## 19 Answer the following questions.

(1) 你常去买东西吗？

(2) 你常去哪儿买东西？

(3) 买什么东西时人们会用信用卡？

(4) 你常买杂志看吗？买什么杂志？

(5) 你常去超级市场买东西吗？你通常去买什么？

(6) 你每天写日记吗？

(7) 你每天看报纸吗？看什么报纸？

(8) 你常去哪儿买文具？

(9) 今天你书包里带了什么？

(10) 今天你文具盒里有些什么？

亲爱的家长：

　　学校定于8月31日开学。在开学之前，请为您的孩子买好以下物品：

　　1. 校服一套： 男生　蓝格子短袖衬衫、蓝色长裤
　　　　　　　　　 女生　蓝格子连衣裙

　　2. 运动服一套： 蓝色汗衫、白色短裤

　　3. 文具：两支铅笔、一把尺子、一个卷笔刀、一本记事本、一盒彩色笔、一块橡皮、一本学生字典

　　（书包和铅笔盒也可以在学校商店买）

　　还有，男生上学一定要穿黑皮鞋、蓝袜子；女生穿黑皮鞋、白袜子。袜子也可以跟校服一起买。

　　谢谢您的合作！

　　　　　　　　　　　　　　　　育才小学校长： 宋国安

　　　　　　　　　　　　　　　　2006 年 8 月 5 日

True or false?

( )(1) 育才小学是一所女校。

( )(2) 育才小学 8 月 31 日开始上课。

( )(3) 每一个学生都要买一本记事本。

( )(4) 学校商店也卖皮鞋。

# 阅读（十一） 杯弓蛇影

## 1　True or false?

( )(1) 乐广常去他朋友家喝酒。

( )(2) 乐广的朋友病了，因为他把一条小蛇吃进肚子里。

( )(3) 杯子里的蛇是弓的倒影。

( )(4) 乐广肚子里也喝进了一条小蛇。

( )(5) 乐广后来知道了他朋友生病的原因。

( )(6) 乐广的朋友最后死了。

## 2　Give the meanings of the following phrases.

① 怪 { 奇怪 鬼怪 怪物 怪话

② 倒 { 倒水 倒车 倒立 倒数 倒退

③ 桌 { 桌子 桌布 书桌 饭桌

## 3　Translation.

(1) 好久不见了！

(2) 他一下子明白了怎么回事。

(3) 他的病立刻好了。

(4) 原来酒杯里的蛇是墙上弓的
　　影子。

(5) 我一直不相信他是小偷。

(6) 于是他出去找他的朋友。

(7) 他四周看看，一个人也没有。

(8) 爸爸给自己倒了一杯葡萄酒。

# 第十四课　给妈妈买条真丝围巾吧

## 1 Fill in the blanks with the measure words in the box.

| 瓶 | 块 | 双 | 条 | 把 | 份 | 家 | 个 | 只 |
| --- | --- | --- | --- | --- | --- | --- | --- | --- |

(1) 一 ＿＿＿香水

(2) 一 ＿＿＿老虎

(3) 一 ＿＿＿水果刀

(4) 一 ＿＿＿药水

(5) 一 ＿＿＿礼物

(6) 一 ＿＿＿手表

(7) 一 ＿＿＿真皮手提包

(8) 一 ＿＿＿专卖店

(9) 一 ＿＿＿眼镜蛇

(10) 一 ＿＿＿高跟鞋

(11) 一 ＿＿＿连衣裙

(12) 一 ＿＿＿真丝围巾

## 2 Translation.

**❶**

品名：领带

颜色：黄色和咖啡色

价格：$380／条

出产地：法国

质地：真丝（只能干洗）

**❷**

品名：太太鞋

颜色：红色、蓝色

价格：$500／双

出产地：香港

质地：真丝、手绣

**❸**

Product: casual shoes

Colour: brown

Price: $1600 / pair

Place of manufacture: Italy

Material: genuine leather

**❹**

Product: dress

Colour: red, black

Price: $800

Place of manufacture: Japan

Material: 100% silk (hand wash cold)

**130**

**3**  Answer the questions.

**a**  七月三十一日前儿童自行车特价 279 元。

**b**  日本饭碗每个 21 元。买五个送一个鱼盘。

**c**  豆浆机, 128 元, 送量杯一个。

**d**  儿童电脑, 4,800元一台, 送一个书包。

**e**  牙刷 16 元一把, 买三把送一把。

**f**  澳洲大米五公斤一包, 每包 46.00 元。买一包送一公斤花生油。

**g**  买两瓶法国香水, 送一支口红。

(1) 四把牙刷多少钱?

(2) 你要买豆浆机, 可以同时得到什么礼物?

(3) 买 10 公斤澳大利亚大米, 同时可以得到什么?

(4) 你 8 月 5 号去买儿童自行车, 价钱是不是 279 块?

(5) 买 10 个日本饭碗要花多少钱? 你同时会得到几个鱼盘?

(6) 你想不花钱得到一个书包, 你要先买什么?

(7) 你要买几瓶法国香水才可以得到一支口红?

**a** 西方人买了礼物后喜欢用漂亮的礼品纸把礼物包起来。拿到礼物的人通常会马上把礼物打开。但是中国人通常要等客人走了以后才把礼物打开。

**b** 西方人去别人家吃饭时常常喜欢带鲜花、葡萄酒或巧克力。

**c** 香港市面上出售的鲜花，大部分是从东南亚或欧洲国家空运来的。

**d** 要想让鲜花开得时间长久，应该把花放在阴凉和通风的地方，还要每天换水。

True or false?

( )(1) 中国人通常不在客人面前把礼物打开。

( )(2) 西方人喜欢把礼品包起来以后送人。

( )(3) 西方人去别人家吃饭时通常不带礼物。

( )(4) 香港市面上出售的鲜花都是从亚洲运来的。

( )(5) 鲜花不宜放在高温、阳光下。

( )(6) 要想让鲜花开得时间长久不能每天换水。

**5** Change the passage into a dialogue.

今天下午我去百货商店买毛衣了,因为十一月份北京天气开始转冷了。我看中了一件毛衣,颜色、式样都挺好的,就是太贵了。我问营业员可不可以打折,他说国营商店的商品一般不打折。我特别喜欢那件毛衣,所以我还是想买。不巧的是,我当时带的现金不够,还好,营业员说可以用信用卡。于是,我用信用卡买下了那件毛衣。

营业员:

顾客:

**6** Match the words with the radicals.

(1) 片 (slice) _____

(2) 瓦 (tile) _____

(3) 齿 (tooth) _____

(4) 夕 (sunset) _____

(5) 忄 (feeling) _____

(6) 牛 (animal) _____

(7) 钅 (metal) _____

(8) 木 (wood) _____

(9) 页 (page) _____

(10) 贝 (treasure) _____

| | | | |
|---|---|---|---|
| 龄 | 够 | 牌 | 物 |
| 快 | 瓶 | 镑 | 框 |
| 特 | 顾 | 怪 | 贵 |
| 货 | 棵 | 费 | 颜 |

❶ 这是一家专门卖自然、健康食品的商店。你在那里可以买到玉米面、黄豆、红米及一些药品。

❷ 这家花店卖各种鲜花，还可以为顾客做各种花篮，送货上门。

❸ 这是一家药房。在那里你不但可以买到各种药品、补品、日用品等等，还可以冲印相片。

❹ 这家电影院下个月开始放新电影《超人》。今天的电影，看两场只需10块美金。

❺ 这家书店卖各种书，比如小说、故事书、小人书等。他们还卖当天的报纸、最新的杂志、各种卡片和文具用品。

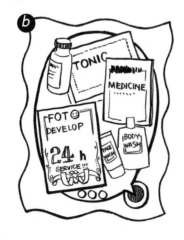

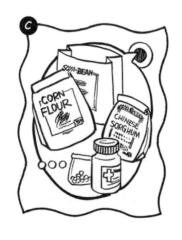

**8**    Give the meanings of the following phrases.

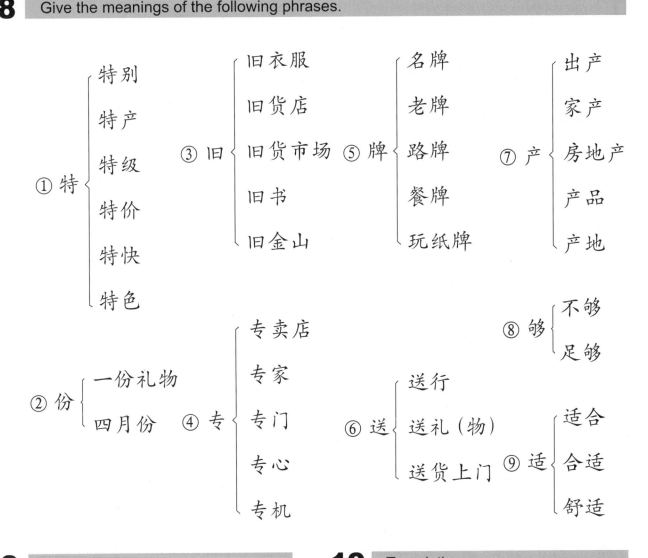

① 特 ⎰ 特别 / 特产 / 特级 / 特价 / 特快 / 特色

② 份 ⎰ 一份礼物 / 四月份

③ 旧 ⎰ 旧衣服 / 旧货店 / 旧货市场 / 旧书 / 旧金山

④ 专 ⎰ 专卖店 / 专家 / 专门 / 专心 / 专机

⑤ 牌 ⎰ 名牌 / 老牌 / 路牌 / 餐牌 / 玩纸牌

⑥ 送 ⎰ 送行 / 送礼（物）/ 送货上门

⑦ 产 ⎰ 出产 / 家产 / 房地产 / 产品 / 产地

⑧ 够 ⎰ 不够 / 足够

⑨ 适 ⎰ 适合 / 合适 / 舒适

**9**    Translation.

(1) 高级无铅汽油

(2) 最新中、外流行音乐带大特价

(3) 春节特价

(4) 秋季大减价

(5) 雷明演唱会今天开始售票

(6) 外币找换

(7) 中式家具专卖店

**10**    Translation.

(1) Thank you for your present.

(2) I am looking for a pair of shoes.

(3) I am tired and hungry.

(4) Can I try it on?

(5) I haven't got enough money with me.

(6) I bought a bottle of perfume for my mother.

**a**

## 旧车换新车

本店有日本车、美国车和德国车。如果你想用旧车换新车，请你把旧车开到本店。折价后，你只需再付一定的差价，便可以得到一部新车。

**请电 5464 7891　大发车行**

**b**

## 旧琴换新琴

您想换新钢琴吗？请打电话给本店，我们会亲自上门为您的旧钢琴折价。您付完钱后，本店会安排把旧琴运走，把新琴运到您家。

电话：4568 2110　百花琴行

**c**

## 租车

日租 $380.00 起，全新汽车、货车。如果租一个星期，可以打八折；租两个星期以上打七五折。

电话：6474 8801　大兴车行

**d**

## 平价出租

楼房，500平方尺起，全套家具，月租 $7000 港币起。楼下有停车场，车位月租 $1500。

电话 2678 4422　宝山房地产

Answer the questions.

(1) 大发车行卖哪个国家的车？

(2) 大发车行收不收旧车？

(3) 百花琴行有送货服务吗？

(4) 大兴车行出租什么车？

(5) 租一星期车，要花多少钱？

(6) 宝山房地产出租的楼房，租金包不包停车费？

**12** Fill in the blanks with "的"、"地"、"得".

(1) 这是他＿＿橡皮。

(2) 他写字写＿＿很漂亮。

(3) 他大声＿＿叫卖他＿＿矛和盾。

(4) 弟弟高兴＿＿说他数学考试得了 100 分。

(5) 我爸爸＿＿秘书在旧金山出生。

(6) 她弹钢琴弹＿＿很好听。

(7) 今天商店里＿＿顾客真多。

(8) 爷爷着急＿＿问："火车几点开？"

(9) 德国出产＿＿大部分货品质量都不错。

(10) 我送给她＿＿真丝围巾是英国名牌。

**13** Translation.

(1) 东西越来越贵了。

(2) 桌子上没有书。

(3) 我听不见你说什么。

(4) 真奇怪，我的真丝围巾不见了。

(5) 她们姐妹俩长得真像。

(6) 她看上去年龄不大。

(7) 名牌货一般比较贵，但是质量好。

(8) 我想去美国上大学，但是妈妈不同意。

(9) 爸爸穿这套西装挺合适的。

(10) 专卖店里的商品一般不便宜。

(11) 请大家安静！

(12) 祝你生日快乐！

还有两天就是父亲节了。小花不知道给爸爸买什么礼物。

她爸爸是一家进出口公司的总经理，经常出差去其他国家。他一年到头很忙，常常不在家，很少有假期。小花很想他。这次她想买一份特别的礼物，让他带在身上，一看见它，就可以想起她。朋友小云说应该买一块表给爸爸。他可以每天戴在手上。朋友小方说可以买一个相框，把她的相片放在里面。小花心想，那我今年就买相框，明年再买手表吧！

Answer the questions. Write a similar essay.

(1) 小花为什么要买礼物给爸爸？

(2) 她爸爸做什么工作？

(3) 她爸爸经常去哪儿？

(4) 她想买什么样的礼物？为什么？

(5) 她今年会买什么礼物给她爸爸？

(6) 她明年会买什么礼物给她爸爸？

**15** Translation.

(1) 她的头发长长的，个子高高的，脸圆圆的。

(2) 她每天都穿得漂漂亮亮的。

(3) 妈妈把衣服洗得干干净净的。

(4) 海上有大大小小的船。

(5) 慢慢吃，别着急。

(6) 他在床上舒舒服服地睡了一觉。

(7) 这个孩子圆圆的头，大大的眼睛，真可爱。

(8) 同学们正在明亮的教室里上课。

(9) 他急急忙忙地跑了出去。

(10) 弟弟好奇地问妈妈："人是从哪里来的？"

**16** Reading comprehension. Write your own point of view.

买衣服的时候，我先看价格。如果不贵，我再看式样。如果式样不新，虽然便宜，我也不会买。然后我再看颜色，看质量好不好。如果质量不太好，但式样新，颜色也好看，价格也不贵，我有时也会买。当然我也会想一想是不是适合我穿。最后我会看一看衣服的出产地。

颜色 ✓          质量 ✓          合适 ✓

价格 ✓          式样 ✓          出产地 ✓

# 阅读（十二）　对牛弹琴

## 1 True or false?

(　　)(1) 姓公的琴师很会弹琴。

(　　)(2) 公先生给牛弹了三首曲子。

(　　)(3) 牛很喜欢听音乐。

(　　)(4) 牛喜欢听小牛和虫子叫。

## 2 Translation.

(1) it is said

(2) A cow is quietly eating the grass.

(3) to play a melody

(4) He started to play happily.

(5) The cow seemed to have heard nothing.

(6) The cow shook its head, and moved its ears and tail.

## 3 Give the meaning of each word.

① 专 _____　转 _____　传 _____

② 笔 _____　尾 _____

③ 典 _____　曲 _____

④ 张 _____　弹 _____　引 _____

⑤ 争 _____　静 _____　净 _____

## 4 Give the meanings of the following phrases.

① 技 技巧　技术（员）　科（学）技（术）　杂技

② 传 传说　传真（机）　传球　传家宝

③ 尾 尾巴　从头到尾

④ 曲 一首曲子　歌曲　乐曲

**140**

# 生词

第十二课　减价　商店　商场　各种各样　商品　比较　贵　质量
　　　　　大都　把　退换　便宜　出售　顾客　打八折　就是说
　　　　　原价　百分之二十　如今　付　现金　支票　信用卡

刻舟求剑　小心　掉　赶快　记号　岸边　这样　笨

第十三课　便利店　日用品　牙膏　那里　那儿　文具　玩具　橡皮
　　　　　铅笔盒　尺子　练习本　卷笔刀　日记本　笔记本　当天
　　　　　报纸　杂志　相框　相册　礼品纸　卡片　居民　方便

杯弓蛇影　奇怪　怎么回事　原来　一直　倒影　桌子
四周　挂　立刻

第十四课　真丝　送　份　礼物　俩　旧　专卖店　名牌　不行　够
　　　　　认为　双　特别　出产　适合　年龄　同意　瓶　香水
　　　　　地　快乐

对牛弹琴　相传　琴师　技巧　安静→安安静静　曲子
乐曲　好像　不过　而　模仿　叫声　声音　尾巴

# 总复习

1. Shopping

① 便宜 贵 打折 减价 原价

② 付钱 现金 支票 信用卡

③ 文具 橡皮 尺子 铅笔 钢笔 卷笔刀 日记本 笔记本 练习本 文具盒（铅笔盒）字典

④ 相框 相册 报纸 杂志 玩具 礼物（品）礼品纸 卡片 香水 牙膏 日用品

2. Measure words

(1) 一块橡皮

(2) 一把尺子

(3) 一支铅笔

(4) 一本相册

(5) 一份报纸

(6) 一瓶葡萄酒

(7) 一双皮鞋

(8) 一首歌曲

(9) 一条蛇

(10) 一张桌子

3. Verbs

退　换　出售　付钱　掉　倒　挂　送

出产　同意　认为　模仿

## 4. Adjectives and adverbs

贵　便宜　比较　赶快　够　特别　小心

安静　笨　奇怪　原来　方便　一直　一下子

立刻　旧　快乐

## 5. Grammar

| | |
|---|---|
| (1) The usage of "之" | (a) 百分之八十（80%） |
| | (b) 四分之一（1/4） |
| (2) Complement of result | (a) 我退掉了昨天买的皮鞋。 |
| | (b) 我买不到给妈妈的生日礼物。 |
| (3) "把" structure | (a) 请你把窗子打开，好吗？ |
| | (b) 他把两包薯条全部吃光了。 |
| (4) Complement of directions | (a) 他突然笑起来了。 |
| | (b) 她走进去，然后又走出来了。 |
| (5) The particle "地" | (a) 他奇怪地问我："你怎么了？" |
| | (b) 那条狗大声地叫了起来。 |
| (6) Repetition of adjectives | (a) 安静 → 安安静静 |
| | (b) 高兴 → 高高兴兴 |

6. Opposites

(1) 贵→便宜          (4) 笨→聪明

(2) 加→减            (5) 特别→一般

(3) 旧→新


7. Questions and answers

(1) 你家附近买东西方便吗?          挺方便的。

(2) 你一般去哪儿买东西?          我喜欢去大商场买东西。

(3) 今天你的铅笔盒里有什么?          有钢笔、铅笔、尺子、橡皮等等。

(4) 今天你的书包里有什么?

有课本、练习本、笔记本、笔盒等等。

(5) 你平时写日记吗?          不写。

(6) 你常看报纸吗?看什么报纸?          看。我看《青年报》。

(7) 你通常看什么杂志?          看电脑杂志。

(8) 你喜欢买名牌衣服吗?          喜欢,但是太贵了。

# 测验

## 1 True or false?

( )(1) 现在越来越多的人买
东西时用信用卡。

( )(2) 牛仔裤适合各种年龄
的人士穿。

( )(3) 打折就是减价。

( )(4) 相框也是一种玩具。

( )(5) 名牌货一般都比较贵。

( )(6) 中国出产很多种茶叶。

( )(7) 蛇有很多脚。

## 2 Fill in the blanks with the measure words in the box.

块　把　支　本　份　瓶　双　首　条　张　台　盒

(1) 这 ____ 鞋比那 ____ 鞋便宜。

(2) 琴师给牛弹了一 ____ 乐曲。

(3) 草里有一 ____ 蛇。

(4) 你带了几 ____ 橡皮？

(5) 这 ____ 尺子是我的。

(6) 帮我买一 ____ 今天的报纸。

(7) 小心，这里有一 ____ 葡萄酒。

(8) 我房间里有一 ____ 书桌。

(9) 练习本六块钱一 ____。

(10) 请问这 ____ 钢笔多少钱？

(11) 我想买一 ____ 巧克力。

(12) 我家买了一 ____ 新彩电。

## 3 Find the opposites.

(1) 便宜　　(a) 加

(2) 减　　　(b) 慢

(3) 新　　　(c) 贵

(4) 笨　　　(d) 聪明

(5) 一般　　(e) 旧

(6) 快　　　(f) 特别

## 4 List five items in your school bag and pencilcase.

| 书包 |
| --- |
|  |

| 铅笔盒 |
| --- |
|  |

**145**

**5** Fill in the blanks with "的"、"地"、"得"。

(1) 这条围巾是真丝_____。

(2) 他画_____马像真的一样。

(3) 顾客不高兴_____说："我不买了。"

(4) 她穿上校服,高高兴兴_____上学去了。

(5) 他跑_____真快。

(6) 教室里非常安静,学生们正在静静_____听课。

(7) 这家超级市场里_____货物很齐全。

(8) 农夫把地里_____苗一棵一棵_____拔高了。

**6** Choose the right word.

(1) 房间里很安（净／静）。

(2) 琴师为牛（弹／单）了一首好听的乐（典／曲）。

(3) 他为客人（倒／到）了一杯酒。

(4) 我家附近有一家文（具／真）店。

(5) 借（像／橡）皮用一下, 好吗?

(6) 你付现（全／金）还是付信用（卡／片）?

(7) 这家店里的东西比（较／校）贵。

(8) 请你（吧／把）窗子打开。

**7** Translation.

(1) 这双鞋不合适, 请帮我换一双, 好吗?

(2) 这家服装店里的衣服今日全部打八折。

(3) 我们学校的学生年龄在 11 岁 ~ 18 岁。

(4) 你们俩出去玩玩儿吧!

(5) 这个牌子的电视机质量怎么样?

**8** Write an essay about a shopping experience.

You should include:

— when and where you went shopping

— whom you went with

— what shops you visited

— what you bought

— how much money you spent

— what you think of the place where you shopped

**146**

## 9 Answer the following questions.

(1) 你平时喜欢去哪儿买东西？

(2) 你喜欢买些什么东西？

(3) 你上个周末去买东西了吗？买了什么？

(4) 你平时喜欢看什么杂志、什么报纸？

(5) 你喜欢买名牌货吗？买什么东西？买什么牌子的？

(6) 你平时去不去超级市场买东西？每周去几次？

## 10 Extended reading.

### 每天快走45分钟可以减肥

现在世界上流行减肥。在书店里你可以看到很多怎样减肥的书。专家们提出最容易的减肥方法是"快走"。一个人每天"快走"45分钟是最理想的减肥方式。为什么要走45分钟，没有人知道。有些人在工作日没有时间"快走"，他们可以在周末补回来，比如，周一、三、五快走45分钟，周六、日可以去山里行山两、三个小时。除了快走以外，在吃的方面也要多吃低脂肪、高纤维食品，多喝水、少吃肉。

True or false?

( )(1) 现在世界上很多人都不喜欢身体肥胖。

( )(2) 专家们说慢走也可以减肥。

( )(3) 如果一个人每天快走45分钟，就可以变得更瘦。

( )(4) 要是一个人每天运动，他吃很多高脂肪的食物也不会发胖。

# 第五单元　居住环境

## 第十五课　我们要搬家了

**1** Read the description. Label the rooms.

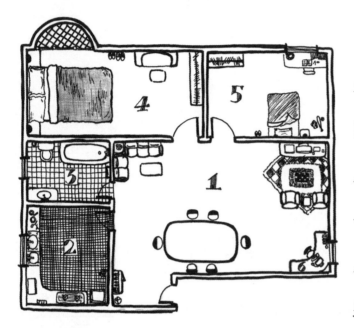

这是我家的平面图。左上角是父母的卧室，右上角是我的卧室。浴室在父母卧室的隔壁，厨房在左下角。客厅可以三用：一半是客厅，一半是餐厅和书房。客厅的右下角是放电脑的地方。

**2** Answer the question. Choose the public facilities in the box.

你家附近有什么公共设施？

我家附近的公共设施有

_____

_____

_____

_____

_____

_____

| | | |
|---|---|---|
| 农场 | 游泳池 | 菜市场 |
| 银行 | 洗衣店 | 理发店 |
| 公园 | 医务所 | 便利店 |
| 饭店 | 商场 | 百货公司 |
| 药房 | 小吃店 | 超级市场 |
| 花店 | 时装店 | 儿童游乐场 |
| 教堂 | 电影院 | 青少年中心 |
| 医院 | 家具店 | 文具店　玩具店 |

## 15

**3** Translation.

**4** Match the Chinese with the English.

## 出 租

三室一厅，850平方尺，月租$18,000，包家具（冰箱、洗衣机、冷气机、单人床、双人床、餐桌、沙发）。

请电王明：2689 7628（办）

2879 3691（宅）

9234 8860（手提）

### Flat to Rent

One bedroom flat, 450 square feet, $4,500 per month, furnished (single bed, TV set, fridge, washing machine, air-conditioner, dining table and sofa)

### Call Mr. Zhang

2896 3636(O)

2574 1133(H)

9867 1010(M)

(1) 装修公司    (a) chef

(2) 搬家公司    (b) renovation company

(3) 音乐厅    (c) moving company

(4) 厨师    (d) suitcase

(5) 手提箱    (e) radiator

(6) 厨房用具    (f) concert hall

(7) 手提行李    (g) vehicle

(8) 暖气片    (h) slide

(9) 梯子    (i) office building

(10) 车辆    (j) ladder

(11) 滑梯    (k) hand luggage

(12) 全自动 洗衣机    (l) kitchen utensils

   (m) automatic washing machine

(13) 办公楼

张先生想租一套房子。这一天，他来到了好运房地产公司。

王经理：您想租房还是买房？

张先生：租房。你们有没有三房一厅的房子出租？

王经理：有。您想花多少钱？

张先生：大约在 $15,000 到 $20,000 之间。我想要新装修、有家具的房子，最好有阳台的。

王经理：我现在手上有三套这样的房子。您想不想马上去看？

True or false?

张先生：可以。我现在正好有时间。

( )(1) 张先生想买一套三房一厅的房子。

( )(2) 张先生最多想花两万块。

( )(3) 他想租带家具的房子。

王经理：那请您先等一下，我马上给房东打电话。

( )(4) 他现在没有时间看房子。

( )(5) 看房前先要给房东打电话。

**6** Give the meanings of the following phrases.

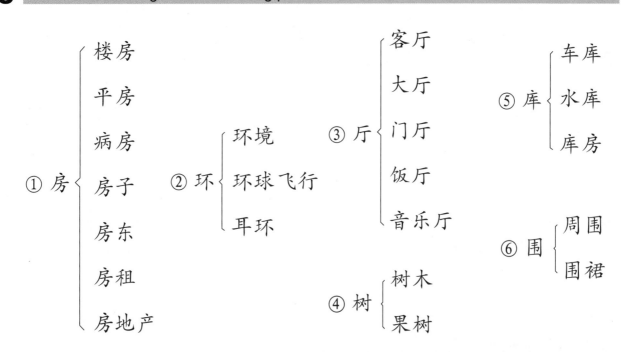

**7** Choose the correct meaning for the dotted word / phrase.

(1) 我怕吃中药, 因为中药很苦。 　(a) sweet　(b) salty　(c) bitter

(2) 她从小就喜欢跳芭蕾舞。　(a) tango　(b) ballet　(c) folk dance

(3) 他是一个诚实的孩子。　(a) honest　(b) diligent　(c) lazy

(4) 我想订一张去英国的飞机票。　(a) book　(b) make　(c) buy

(5) 我没有带借书证, 你帮我借这本书吧!

　(a) I.D.card　(b) passport　(c) library card

a

写字楼出租：1,400平方尺，价钱平，新装修，有多个车位。请电 9019 8846 齐先生。

b

特价套房出租：三室一厅，小巴、巴士方便，全套家具、冷气机。请电 2864 1100 王小姐。

c

新装修套房出售：两室或三室一厅，楼下有儿童游乐场。电话 2144 7866 李先生。

d

商、住两用楼出租：100平方米，6,500人民币；120平方米，8,000人民币，近市中心。

请电 5437 6299 马小姐。

e

月租套房：月租2,000港币起，日租200港币起。包家具、厨房用具及冷气机。近地铁出口。请电 9411 8803 钟太太。

f

业主出国，急售半年新楼，1,500平方尺，四室一厅，全新装修，全套家电用品。

电话 5281 0044 田先生。

Answer the questions.

(1) 哪几个套房是新装修的？

(2) 哪一套房间近地铁出口？

(3) 哪几个广告是出售房子的？

(4) 哪个广告里的房子可以日租？

(5) 如果你家有小孩，租哪套房间比较合适？

(6) 如果你想租办公室，你应该看哪几个广告？

**9** Read the text below. Fill in the blanks in Chinese.

这是一个比较新的住宅区，那些楼的楼龄只有5年。每幢楼的一楼是大厅和门房，周围有很多车位。

王先生住的这幢楼共有18层，每层住5户人家：有两套三房一厅的，三套两房一厅的。最近王先生买了一套三房一厅的房子，在第12层，房价是两百七十五万港币。这个住宅区有很多公共设施，比如图书馆、超市、儿童游乐场、学校、饭店、青少年活动中心等等。王先生很喜欢住在这里，因为这个小区离他的公司很近，走路5分钟就到了。

■ 楼龄：＿＿＿年

■ 王先生住的这幢楼一共有＿＿＿层

■ 每层住＿＿＿户人家

■ 王先生家有＿＿＿房＿＿＿厅

■ 房价：＿＿＿＿＿港币

■ 这个住宅区的公共设施有

＿＿＿＿＿＿＿＿＿＿＿＿＿

＿＿＿＿＿＿＿＿＿＿＿＿＿

＿＿＿＿＿＿＿＿＿＿＿＿＿

■ 王先生可以＿＿＿去上班

**10** Translation.

(1) 住宅区（居民区）

(2) 商业区

(3) 工业区

(4) 市区

(5) 郊区

(6) 风景区（旅游区）

(7) 山区

乐乐

静静

静静：你今天下午有空吗？

乐乐：有。什么事儿？

静静：我刚刚租了几盘录像带，都是新电影。你想不想看？

乐乐：想看。我几点去你家？

静静：几点都行。你吃完午饭就来吧！

乐乐：好吧！一会儿见。

**Tasks**

(1) 去看电影

(2) 去图书馆借书

(3) 去滑冰

(4) 去买东西

❶

新民银行

王海生　经理

上海静安区环球大楼 413 室
电话：2367 8610（办）
传真：2367 9491（办）

❷

王汉青律师行

李新明
中国部经理

北京太古中心 1412 室
电话：2627 3838（办）
　　　2774 3292（宅）
传真：2627 2020（办）

**13** Give the meanings of the following phrases. Pay attention to the dotted words.

① 没有 / 设施

② 外面 / 卧室

③ 电梯 / 第一名

④ 他们俩 / 一辆车

⑤ 眼镜 / 环境

⑥ 坏人 / 耳环

⑦ 裤子 / 车库

⑧ 一般 / 搬家

⑨ 对不起 / 果树

⑩ 医生 / 住宅区

**14** Read the text below.

我家有两室一厅。我的房间在我父母亲的隔壁。我家的客厅挺大的，是客、餐两用厅。客厅旁边是浴室和厨房。我家不是很大，但是很实用、舒适。

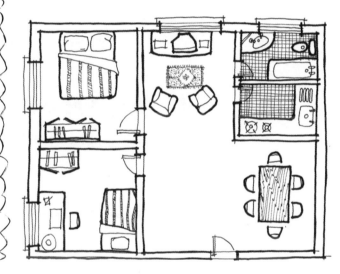

Write a description for the apartment below.

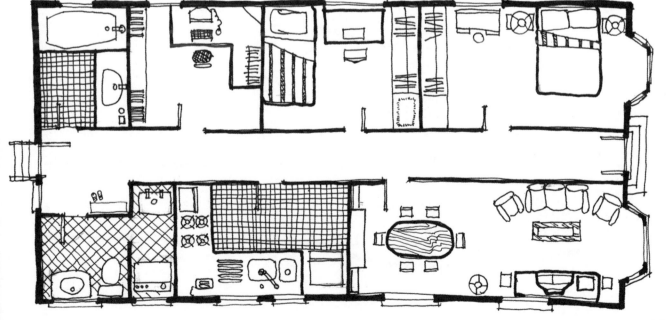

## 15 Answer the following questions.

(1) 你家住楼房吗？

(2) 你家有几间卧室？

(3) 你家周围的环境怎么样？

(4) 你家附近有什么公共设施？

(5) 你们最近有没有搬过家？

(6) 你家有阳台吗？

(7) 你家离地铁出口远不远？

(8) 你家里冬天需要暖气吗？

(9) 你每天怎么上学？

(10) 你喜不喜欢现在住的地方？

## 16 Reading comprehension.

**a** 绿化环境日 4 月 9 日

**b** 本公司需要电梯修理工一名

**c** 您只要动手打一个电话。
新安搬家公司

**d** 公司、住宅室内装修。
价格便宜，质量好。

**e** 欧式住宅区，设施齐全，
环境宜人，设有停车场。

True or false?

( ) (1) 如果你要搬家，你只要
打个电话去就行了。

( ) (2) 住在欧式住宅区的居民
有地方停车。

( ) (3) 有一名电梯修理工想
找工作。

( ) (4) 9 月 4 日是绿化环境日。

( ) (5) 这家装修公司除了为
公司装修，还为住宅
装修。

**17** Reading comprehension.

二手车广告

**① HONDA**

本田汽车
流行房车，95年，白色，五门，自动，价钱两万八。
请电 2979 3651。

**② NISSAN**

蓝鸟 Arx，银灰色，$25k，5门家庭用车，皮座，6千公里，冷气，手动，晚上6点以后请电王先生 2765 8533。

**③ MAZDA**

万事得汽车
97MPV 新车，七座，自动，九成新，7万8千。
日电王小姐 2867 3652。

**④ BMW**

德国宝马，八成新，客货两用，八座，1万公里，自动，6万6千元。
请电 2547 6232。

Answer the questions.

(1) 哪辆车不是自动车？

(2) 哪辆车最便宜？

(3) 哪一辆汽车是九成新的？

(4) 哪一辆车能运货？

(5) 哪一辆是德国车？

(6) 哪辆车可以坐七个人？

(7) 哪辆车最贵？

(8) 哪辆车只开了6千公里？

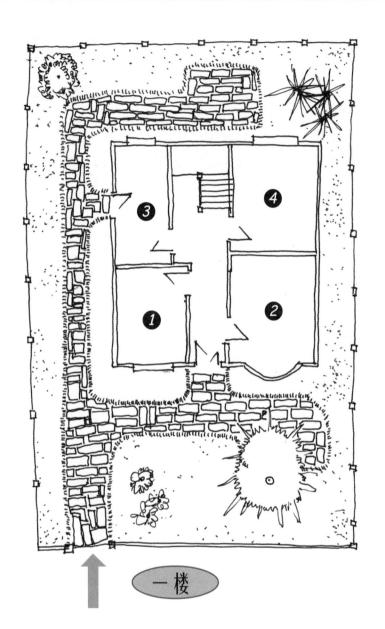

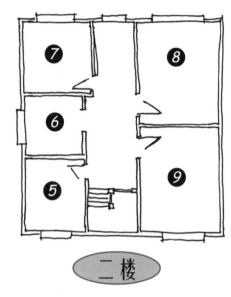

一楼

一楼

一走进大门，左边第一个房间是＿＿＿＿＿＿＿，右边第二个房间是＿＿＿＿＿＿＿，第三个房间是＿＿＿＿＿＿＿，第四个房间是＿＿＿＿＿＿。上了二楼，左边的第五个房间是＿＿＿＿＿＿＿，第六个房间是＿＿＿＿＿＿＿。第＿＿＿＿＿＿＿

＿＿＿＿＿＿＿＿＿＿＿＿＿＿＿＿＿＿＿＿＿＿＿＿＿＿＿

前花园里有＿＿＿＿＿＿＿，后花园里有＿＿＿＿＿＿＿。

# 阅读 （十三）　　画蛇添足

## 1　Translation.

(1) in the ancient State of Chu

(2) a person who looks after a temple

(3) Whoever finishes drawing the snake first will drink the wine.

(4) Let me add some feet to the snake.

(5) Snakes do not have feet at all.

## 2　Give the meaning of each word.

① 馆 _____
　　管 _____

② 寺 _____
　　诗 _____
　　特 _____
　　等 _____

③ 业 _____
　　壶 _____

④ 建 _____
　　健 _____

## 3　Give the meanings of the following phrases.

① 管 ｛ 管理
　　　 管家
　　　 管子
　　　 水管

② 寺 ｛ 寺庙
　　　 寺院
　　　 清真寺

③ 壶 ｛ 酒壶
　　　 水壶
　　　 茶壶
　　　 暖壶

④ 建 ｛ 建议
　　　 建国
　　　 建立

**1** Describe the rooms in Chinese.

**2** Fill in the blanks with the measure words in the box.

| 棵　个　台　本　部　座　壶　辆　首　架　把　张　支 |
| --- |

(1) 一＿＿＿收录机

(2) 一＿＿＿计算机

(3) 一＿＿＿电冰箱

(4) 一＿＿＿飞机

(5) 一＿＿＿录像机

(6) 一＿＿＿单人床

(7) 一＿＿＿书桌

(8) 一＿＿＿酒

(9) 一＿＿＿寺庙

(10) 一＿＿＿照片

(11) 一＿＿＿台灯

(12) 一＿＿＿铅笔

(13) 一＿＿＿机器人

(14) 一＿＿＿词典

(15) 一＿＿＿电梯

(16) 一＿＿＿车库

(17) 一＿＿＿衣柜

(18) 一＿＿＿椅子

(19) 一＿＿＿书架

(20) 一＿＿＿照相机

(21) 一＿＿＿汽车

(22) 一＿＿＿歌曲

(23) 一＿＿＿树

(24) 一＿＿＿刀

**3** Describe the layout of the house in Chinese.

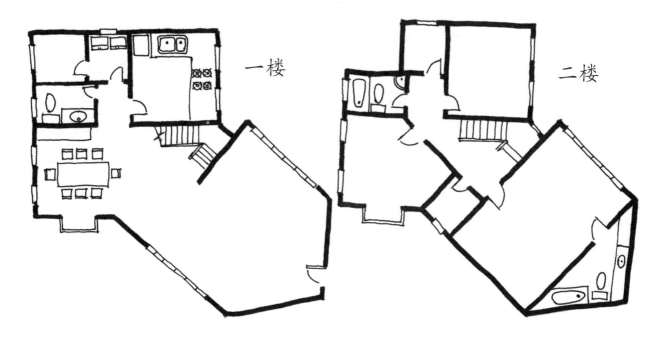

一楼

二楼

这是一座两层楼的房子。一楼有 _____

_____

_____

**4** Translation.

(1) 他还记着我的名字。

(2) 床的右边放着一个衣柜。

(3) 房间的窗是关着的。

(4) 他正在床上坐着看书呢。

(5) 她唱着歌儿进来了。

(6) 爸爸脚上穿着一双名牌皮鞋。

(7) 他的汗衫上写着几个汉字。

(8) 戴着墨镜的那个人是我哥哥。

(9) 冰箱里放着牛奶和鸡蛋。

(10) 桌子上放着一盒巧克力。

(11) 椅子上放着一双鞋。

(12) 床上放着一辆玩具车。

(13) 桌子上放着一个闹钟。

## 5 Choose the best answer.

(1) 钢笔不应该放在餐桌上，应该放在 _____。

    (a) 笔盒里 (b) 钱包里 (c) 书包里

(2) 鞋不应该放在餐桌上，应该放在 _____。

    (a) 床上 (b) 衣柜里 (c) 鞋架上

(3) 钱不应该放在餐桌上，应该放在 _____。

    (a) 书包里 (b) 手提包里 (c) 钱包里

(4) 英汉词典不应该放在餐桌上，应该放在 _____。

    (a) 柜子里 (b) 书架上 (c) 椅子上

(5) 支票本不应该放在餐桌上，应该放在 _____。

    (a) 床头柜里 (b) 手提包里 (c) 沙发上

## 6 Translation.

(1) 我的汉语书被人拿走了。

(2) 他们家的房子被水冲坏了。

(3) 排球叫我弟弟拿走了。

(4) 哥哥被他朋友叫出去踢球了。

(5) 他让蛇吓得生病了。

(6) 店里的暖气机全让人买走了。

(7) 家里旧书全给他卖掉了。

(8) 他身上带的英镑全叫他花光了。

**7** Give the meanings of the following phrases. Pay attention to the dotted words.

① 卧室
　 鞋柜

② 奇怪
　 椅子

③ 果汁
　 计算

④ 录音机
　 绿色

⑤ 合作
　 收拾房间

⑥ 花布
　 希望

⑦ 皇帝
　 望远镜

⑧ 餐厅
　 台灯

⑨ 司机
　 词典

⑩ 字典
　 歌曲

⑪ 放着
　 看见

⑫ 文具
　 真丝

**8** Write as many sentences as you can.

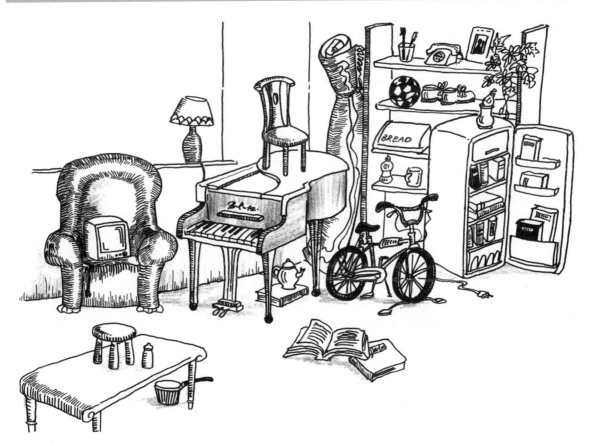

椅子不应该放在钢琴上，应该放在书桌旁边。_____

**9** Fill in the blanks with the conjunctions in the box.

不但……，而且……　　要是……就……　　一……就……

因为……，所以……　　一边……一边……

(1) 弟弟常常 ＿＿＿＿吃饭＿＿＿＿看电视。

(2) ＿＿＿＿他带的钱不够，＿＿＿＿他没买到毛衣。

(3) 他 ＿＿＿＿会唱歌，＿＿＿＿还唱得非常好听。

(4) 他总是 ＿＿＿＿写完作业＿＿＿＿玩电脑。

(5) ＿＿＿＿房子是新装修的，我 ＿＿＿＿想看看。

(6) 他的书架上 ＿＿＿＿有小说、杂志，还＿＿＿＿有词典、参考书等。

(7) ＿＿＿＿有机器人帮我收拾房间 ＿＿＿＿好了。

(8) ＿＿＿＿录像带上没广告，＿＿＿＿我喜欢看录像。

**10** Read the text below. Draw the layout of your room and describe it in Chinese.

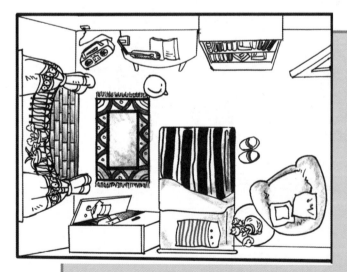

我的房间不大，但是很舒适、实用。床的左边是衣柜，右边有一张小桌子，桌子上放着一个花瓶。桌子旁边是一个单人沙发。

床对面是一张书桌，上面有一个台灯。书桌左边地上放着一部收录机，右边是一个大书架，书架上有很多书。

**11** Fill in the blanks in Chinese.

| | |
|---|---|
| 六楼 | 家具 乐器 床上用品 |
| 五楼 | 日用电器 体育用品 |
| 四楼 | 图书 杂志 玩具 文具 |
| 三楼 | 钟表 餐具 茶具 厨房用具 |
| 二楼 | 男、女服装 鞋帽 童装 |
| 一楼 | 日用百货 |
| 地下室 | 鲜花店 小吃店 超级市场 |

电梯　　　　　　　　　　楼梯

(1) 你想买一个闹钟，你要上＿＿＿楼。

(2) 张先生想买一对沙发，他要上＿＿＿楼。

(3) 钟太太想买一套床单、被套，她要上＿＿＿楼。

(4) 马经理想买一本日记本，他要上＿＿＿楼。

(5) 胡小姐想买一条连衣裙，她应该上＿＿＿楼。

(6) 小明要买几本数学参考书，他得去＿＿＿楼买。

(7) 王太太要为儿子买一架钢琴，她要上＿＿＿楼。

**12** Write a reply to the postcard.

小明，你好！

　　收到了你的照片，很高兴。你化了装，再穿上京剧戏装，真是又好看、又好笑。我差一点儿认不出你来了。你在北京玩得好吗？去了哪些地方？吃了些什么？北京的天气怎么样？你哪天回来？请来信告诉我。

小亮

9月3日

**13** Give the meanings of the following phrases.

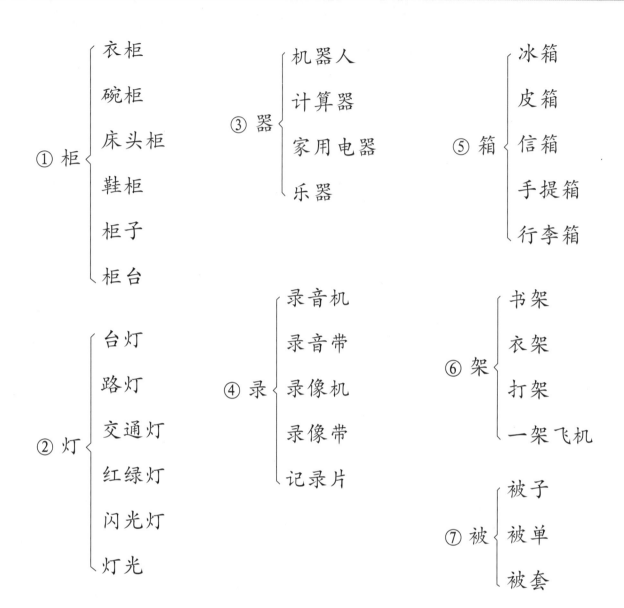

① 柜 ⎰ 衣柜
⎱ 碗柜
⎱ 床头柜
⎱ 鞋柜
⎱ 柜子
⎱ 柜台

② 灯 ⎰ 台灯
⎱ 路灯
⎱ 交通灯
⎱ 红绿灯
⎱ 闪光灯
⎱ 灯光

③ 器 ⎰ 机器人
⎱ 计算器
⎱ 家用电器
⎱ 乐器

④ 录 ⎰ 录音机
⎱ 录音带
⎱ 录像机
⎱ 录像带
⎱ 记录片

⑤ 箱 ⎰ 冰箱
⎱ 皮箱
⎱ 信箱
⎱ 手提箱
⎱ 行李箱

⑥ 架 ⎰ 书架
⎱ 衣架
⎱ 打架
⎱ 一架飞机

⑦ 被 ⎰ 被子
⎱ 被单
⎱ 被套

**14** Draw the layout of the room according to the description.

> 　　我的房间里有一张大床，床单是黄色的。我的床在窗户旁边。从窗口望出去，可以看到我们家的花园和附近的小学。床旁边有一张小桌，桌子上有一个台灯。桌子后面有一把椅子。衣柜在桌子旁边。衣柜两边的墙上挂着我家人和朋友的照片。窗子的对面是门。门左边有一个书架，书架上放着很多书，还放着一个花瓶、一个钟和一部收录机。

**15** Interview three classmates. Finish the table below.

你希望机器人能帮你做什么?

| 同学姓名 | | | |
|---|---|---|---|
| 买东西 | | | |
| 收拾房间 | | | |
| 做饭 | | | |
| 洗碗 | | | |
| 洗衣服 | | | |
| 跟你玩 | | | |

**16** Choose the correct meaning for the dotted word / phrase.

(a) 日 sun    (b) 灬 fire

(1) 这里的风景很漂亮，空气也新鲜。

(a) wind    (b) scenery    (c) environment

(2) 今年夏天中国北方干旱，少雨。 (a) flood   (b) wet   (c) drought

(3) 小明经常帮妈妈煮饭，做家务。 (a) boil   (b) fry   (c) steam

(4) 弟弟最喜欢吃煎鸡蛋。 (a) stew   (b) deep fry   (c) fry in shallow oil

(5) 他常常旷课，校长说要开除他。

(a) play truant   (b) leave early   (c) be late

## 17   Fill in the blanks with "着"、"了"、"过"。

(1) 他听＿＿＿音乐就睡着了。

(2) 我去＿＿＿美国两次。

(3) 他最近买＿＿＿一辆新跑车。

(4) 我的邻居昨天搬家＿＿＿。

(5) 她脚上穿＿＿＿一双高跟鞋，
走起路来很慢。

(6) 太晚＿＿＿！商店都关门＿＿＿。

(7) 王老师生＿＿＿病，所以他
今天没来上课。

(8) 卡片上写＿＿＿："祝你生
日快乐！"

(9) 墙上挂＿＿＿一把宝剑。

(10) 我去看＿＿＿病了。

## 18   Describe this room in Chinese.

这个房间里有一张床、＿＿＿

＿＿＿＿＿＿＿＿＿＿＿＿＿

＿＿＿＿＿＿＿＿＿＿＿＿＿

## 19   Answer the following questions.

(1) 你家住的是新房子还是老
房子？

(2) 你家离市中心近吗？

(3) 你家住的地方安全吗？

(4) 你家的厨房和洗手间大
吗？

(5) 你家客厅里有什么家具？

(6) 你的房间里有什么？

(7) 你家有书房吗？

(8) 你经常帮妈妈收拾房间
吗？

168

**20** Reading comprehension.

## 在电器商店里

营业员: 先生, 您想看看什么?

王先生: 我想买一台彩电。

营业员: 这几部是新到的, 您要多大的?

王先生: 我想看看29英寸的。

营业员: 这两台都是29英寸的, 一台是日本原装的, 比较贵, 6,900港币; 一台是马来西亚出的, 便宜一些, 5,000港币。您喜欢哪一台?

王先生: 哪一台图像、声音更好一点儿?

营业员: 都差不多。

王先生: 那我就买日本原装的。你们店送不送货?

营业员: 送, 一个星期之内送到。请问您怎么付钱?

王先生: 用信用卡。

营业员: 请写下您的姓名和电话号码, 我们会打电话通知您的。

王先生: 谢谢。

Answer the questions.

(1) 王先生想买什么?

(2) 哪一台电视机比较便宜?

(3) 王先生买了哪台电视机?

(4) 他是怎样付钱的?

# 阅读（十四）　鲁王养鸟

## 1 Answer the questions.

(1) 有一天，鲁国国都的郊外飞来了什么？

(2) 老百姓们为什么跑到郊外去？

(3) 鲁王下令让人去做什么？

(4) 鲁王是怎样养鸟的？

(5) 鸟后来怎么样了？

## 2 Translation.

(1) in the suburbs of the State of Lu

(2) a special sea bird

(3) the civilians

(4) the best music in the palace

(5) The bird is too frightened to eat or drink.

(6) It died in three days.

## 3 Give the meaning of each word.

① 鱼 ＿＿＿＿　鲁 ＿＿＿＿

④ 今 ＿＿＿＿　令 ＿＿＿＿

② 瓜 ＿＿＿＿　抓 ＿＿＿＿

⑤ 较 ＿＿＿＿　郊 ＿＿＿＿

③ 却 ＿＿＿＿　脚 ＿＿＿＿

## 4 Give the meanings of the following phrases.

① 郊
- 郊外
- 郊区
- 郊游
- 市郊
- 远郊

② 神
- 神医
- 神奇
- 神经病
- 神话故事

# 第十七课　我总算找到了他的家

## 1 Write the places in Chinese.

(1) 上学的地方→学校

(2) 停车的地方→

(3) 买邮票的地方→

(4) 做运动的地方→

(5) 看病的地方→

(6) 借、还书的地方→

(7) 买日用品的地方→

(8) 能看到各种动物的地方→

(9) 坐地铁的地方→

(10) 给旅客住的地方→

(11) 买蔬菜、鱼、肉的地方→

(12) 给汽车加油的地方→

(13) 买衣服的地方→

(14) 看电影的地方→

| 百货商店　学校　停车场　电影院　旅馆　动物园　邮局 |
| 医院　图书馆　菜市场　运动场　地铁站　服装店　加油站 |

## 2 Give the meaning of each sign.

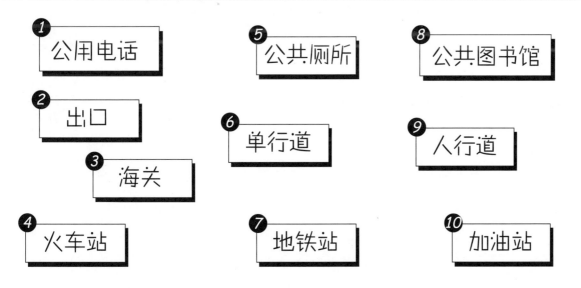

1 公用电话

2 出口

3 海关

4 火车站

5 公共厕所

6 单行道

7 地铁站

8 公共图书馆

9 人行道

10 加油站

❶ 王先生要去游泳池:

他得先往＿＿走,路过一个＿＿字路口,再往＿＿走,到了第＿＿个十字路口向＿＿拐。再往＿＿走,经过＿＿个丁字路口，再经过邮局，他就到游泳池了。

❷ 张小姐要去电影院:

她先往＿＿走,来到一个路口,往＿＿拐。经过一家医院，然后向＿＿转。再往＿＿走，到了路口往＿＿转，就到电影院了。

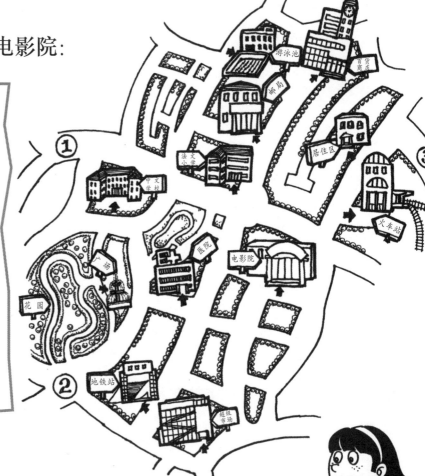

❸ 田美方要去法文小学:

她得先往＿＿走,走到＿＿字路口向＿＿拐,再一直往＿＿走，路过火车站，到了＿＿字路口向＿＿转，再往前走，再过一个＿＿字路口，就到法文小学了。

**4** Fill in the blanks with "就"、"才".

(1) 你过了这个路口 ＿＿＿＿ 能看见车站了。

(2) 你少吃一点 ＿＿＿＿ 会瘦下来。

(3) 他吃了两个星期的药，病 ＿＿＿＿ 好。

(4) 鲁王叫人把鸟抓到宫里，三天以后鸟 ＿＿＿＿ 死了。

(5) 他一有时间 ＿＿＿＿ 打电话。

(6) 弟弟通常做完作业 ＿＿＿＿ 出去玩。

(7) 学校早上八点上课，他每天七点 ＿＿＿＿ 到校了。

(8) 生日会六点开始，他七点半 ＿＿＿＿ 到。

**5** Fill in the form about yourself in Chinese.

| 姓名： | 出生日期： | 年　月　日 | 出生地： | 照 |
|---|---|---|---|---|
| 性别： | 年龄： | 家庭电话号码： | | 片 |
| 地址： | | | | |
| 护照号码： | | 母语： | 在家说什么语言： | |
| 父亲姓名及电话号码： | | | | |
| 母亲姓名及电话号码： | | | | |
| 兄弟姐妹： | 姓名 | 年龄 | 性别 | |
| 1. | | | | |
| 2. | | | | |
| 你以前上过的学校： | | | | |

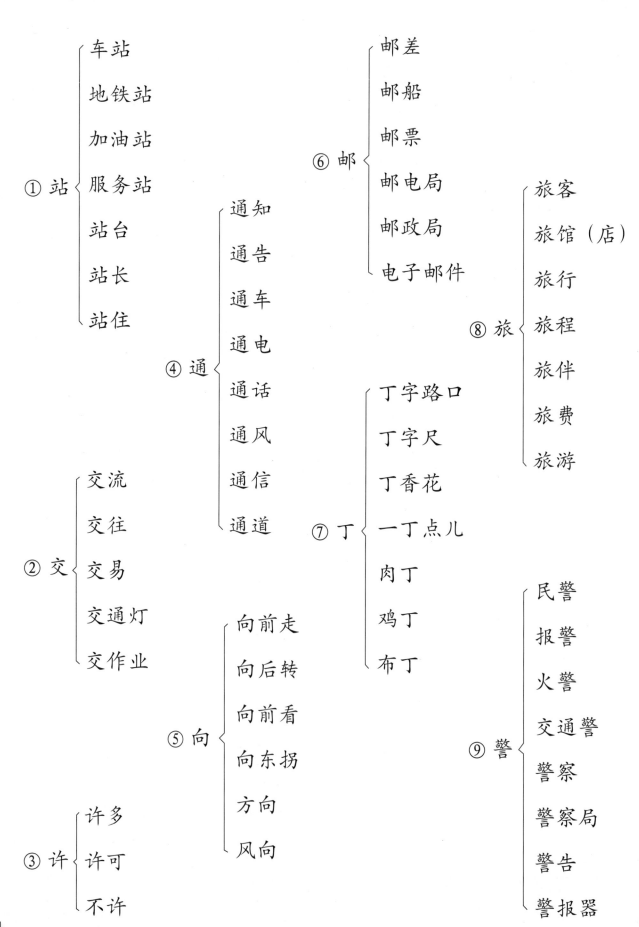

① 站 车站 地铁站 加油站 服务站 站台 站长 站住

② 交 交流 交往 交易 交通灯 交作业

③ 许 许多 许可 不许

④ 通 通知 通告 通车 通电 通话 通风 通信 通道

⑤ 向 向前走 向后转 向前看 向东拐 方向 风向

⑥ 邮 邮差 邮船 邮票 邮电局 邮政局 电子邮件

⑦ 丁 丁字路口 丁字尺 丁香花 一丁点儿 肉丁 鸡丁 布丁

⑧ 旅 旅客 旅馆（店） 旅行 旅程 旅伴 旅费 旅游

⑨ 警 民警 报警 火警 交通警 警察 警察局 警告 警报器

**7** Find the places on the map.

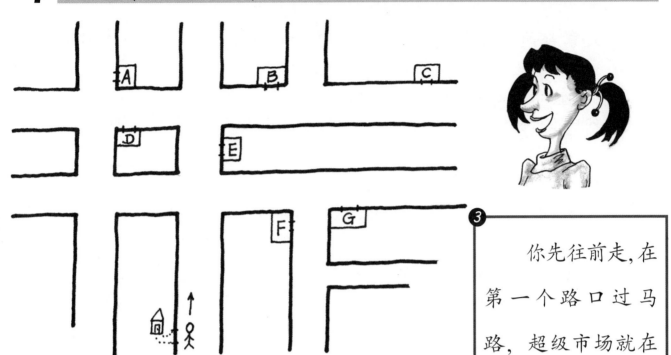

**3**

你先往前走, 在第一个路口过马路, 超级市场就在马路对面。

( )

**1**

一直往前走, 走到十字路口往右拐, 过马路。再往前走, 到了丁字路口过马路。百货商店就在你的右边。

( )

**2**

一直往前走, 在第二个路口往左拐。再走一点儿, 医院就在你的左边。

( )

**8** Find the phrases. Write them out.

| 普 | 交 | 计 | 总 | 刚 | 不 |
|---|---|---|---|---|---|
| 台 | 通 | 打 | 算 | 好 | 得 |
| 路 | 灯 | 地 | 址 | 机 | 不 |
| 邮 | 局 | 不 | 许 | 多 | 再 |
| 车 | 票 | 内 | 衣 | 少 | 次 |

(1) ＿＿＿＿＿＿  (6) ＿＿＿＿＿＿

(2) ＿＿＿＿＿＿  (7) ＿＿＿＿＿＿

(3) ＿＿＿＿＿＿  (8) ＿＿＿＿＿＿

(4) ＿＿＿＿＿＿  (9) ＿＿＿＿＿＿

(5) ＿＿＿＿＿＿  (10)＿＿＿＿＿＿

**9** Translation.

(1) 大家都同意他的建议。

(2) He suggested that everyone draw a snake on the ground.

(3) 他本来是歌唱家，现在做了厨师。

(4) I originally planned to come on Friday, but my car broke down.

(5) 花了三个小时，我总算把功课做完了。

(6) He finally found his dog after 5 days of searching.

(7) 我去邮局的时候，邮局正要关门。

(8) When he came to my house in the afternoon, I happened to be out.

(9) 爸爸真希望能买一辆跑车。

(10) I really hope that you can come this summer.

**10** Choose the correct meaning for the dotted word / phrase.

(1) 我家门口就有一个报摊。

(a) news-stand   (b) stall   (c) publisher

(a) 竹 bamboo   (b) 扌 hand

(2) 姐姐洗碗，我擦桌子。

(a) wash   (b) wipe   (c) rinse

(3) 请你在这儿签名。(a) sign   (b) name   (c) draw

(4) 请问，附近有邮筒吗？(a) post office   (b) mailbox   (c) stationery shop

(5) 请帮我把门推开。(a) pull   (b) lift   (c) push

**11** Answer the questions in Chinese.

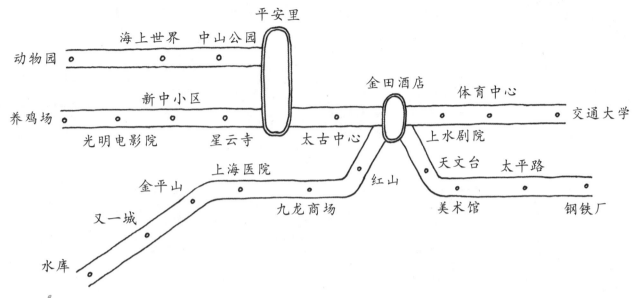

Example

从交通大学怎么去中山公园？

你先坐去养鸡场方向的地铁，坐5站，到平安里。接着再转坐去动物园方向的地铁，坐1站就是中山公园。

(1) 从体育中心怎么去上海医院？

(2) 从又一城怎么去海上世界？

(3) 从太平路怎么去光明电影院？

(4) 从动物园怎么去九龙商场？

**12** Answer the following questions.

(1) 你家住在市中心吗？

(2) 你家附近有什么公共设施？

(3) 你家周围交通方便吗？

(4) 你家住在哪儿？

(5) 你家离学校近吗？

(6) 你家附近有没有邮局？

(7) 从你家去电影院怎么走？

(8) 从你家去图书馆怎么走？

**13** Answer the questions.

(1) 从医院去菜市场怎么走？

(2) 从百货公司去停车场怎么走？

(3) 从电影院去运动场怎么走？

**14** Answer the following questions.

(1) 你这个周末打算做什么？

(2) 今年暑假你打算去哪儿度假？

(3) 这个星期六你打算去看电影吗？

(4) 今年夏天你打算去北京旅游吗？

(5) 你打算去哪儿上大学？

(6) 你打算在大学里学什么？

(7) 你打算以后做什么工作？

(8) 你打算以后去哪儿工作？

**15** Read the passage below. Write a passage about your neighbourhood.

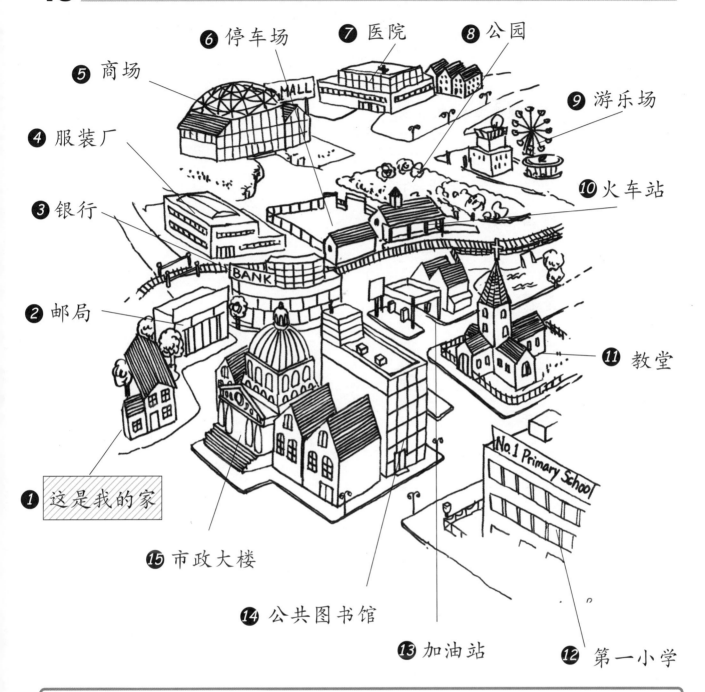

**5** 商场
**6** 停车场
**7** 医院
**8** 公园
**9** 游乐场
**4** 服装厂
**3** 银行
**10** 火车站
**2** 邮局
**11** 教堂
**1** 这是我的家
**15** 市政大楼
**14** 公共图书馆
**13** 加油站
**12** 第一小学

我家左边是邮局，邮局对面是银行。银行旁边是一家服装厂。

服装厂附近有一家商场和医院。儿童游乐场就在公园旁边。火车

站前面是加油站，加油站前面是一座教堂。公共图书馆在教堂对

面，过了马路就是第一小学。市政大楼在我家对面。

车主：我的汽车被人偷了。

警察：是什么时候被偷的？

车主：昨天晚上 11 点左右。

警察：你的车昨晚停在哪儿？

车主：停在我家附近的停车场里。

警察：车是什么牌子的？

车主：是德国宝马跑车，是黑色的。

警察：是哪年的车？

车主：去年新买的车，车牌号码是 DJ1888。

警察：车上有没有其他贵重物品？

车主：没有。

警察：请把你的电话号码和地址告诉我。

车主：我的地址是南京路 126 号，电话 6427 8810。

Make a new dialogue based on the information below.

| | |
|---|---|
| 时间：昨天晚上七点左右 | 钱包：黑色、真皮 |
| 地点：在地铁上 | 里面有 2,000 元现金、 |
| 地址：中山路 8 号 708 室 | 两张信用卡、几张照 |
| 电话：5438 6670 | 片和几张名片 |

17 Treasure hunt. The treasure is buried under one of the trees, A, B, C, D, E, F, G or H. Follow the instructions. Good luck!

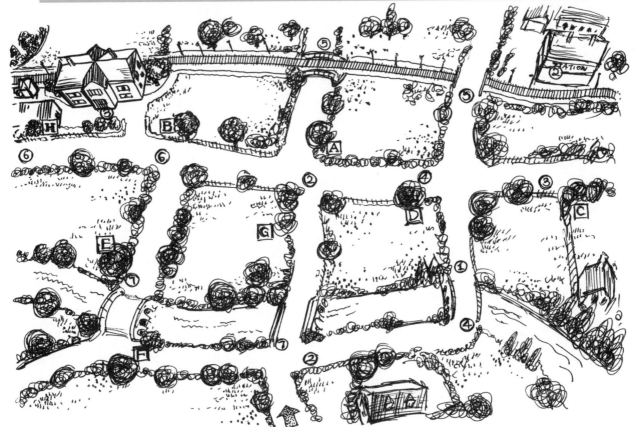

开始

(1) 一直走，看见铁路停下来。看(5)

往前走，在十字路口往右拐。看(2)

(2)一直往前走，看见桥往左拐，过桥。看(1)

(3) 走回到大路上。过马路，看见(6)

(5) 往回走。在最近的十字路口往右拐。看(4)

(7) 不要动。向后转。在你的左边有一棵树。宝物就在树下。

(6) 往前走一点儿，看见一座桥，不要过桥，站在那儿，面对桥。看(7)

(4) 再往前走，在第二个路口往右拐，走进火车站去看看。看(3)

# 阅读（十五）　齐人偷金

**1** True or false?

（　）(1) 这个齐国人非常想得到金子。

（　）(2) 齐国人在梦里也梦到金子。

（　）(3) 齐国人白天不想金子。

（　）(4) 有一天齐国人去集市上买鞋。

（　）(5) 齐国人从金银店里拿了一块金子就跑。

（　）(6) 齐国人最后没被抓到。

**2** Give the meaning of each word.

① 楚 _____　梦 _____
② 售 _____　集 _____
③ 政 _____　整 _____
④ 跟 _____　根 _____

**3** Give the meanings of the following phrases.

① 夜 ｛ 半夜　夜里（间）　夜晚　夜班　夜车　夜大学　夜光表

② 整 ｛ 整天　整夜　整齐　整套书　十二点整

③ 集 ｛ 集市　集合　集会　集邮　赶集　收集硬币

④ 梦 ｛ 做梦　梦见　梦想　说梦话

**182**

# 生词

第十五课　搬家　住宅区　环境　周围　树　设施　齐全

儿童游乐场　青少年活动中心　医务所　卧室　厨房

浴室　阳台　暖气　冰箱　洗衣机　其他　家具　自动

电梯　车库　辆　得

画蛇添足　管　寺庙　手下人　壶　建议　大家

别人　本来

第十六课　开心　天地　单人床　衣柜　书桌　台灯　椅子

计算机　书架　着　参考书　词典　照片　英寸　被

不但……，而且……　节目　录像　实用　收拾

要不然　希望　机器人

鲁国　国都　郊外　老百姓　神　便　下令　抓　却

第十七课　总算　地址　交通　内　许多　地铁站　往前走

往回走　往右拐　向前走　方向　邮（政）局　旅馆

不得不　接着　十字路口　打算　刚好　警察　才

再次　丁字路口

夜里　做梦　整齐　集市　根本

# 总复习

1. Home and neighbourhood

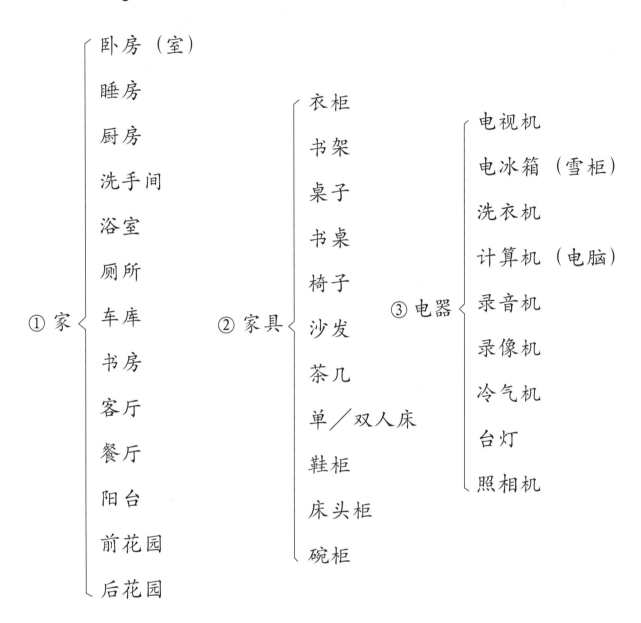

| ① 家 | 卧房（室）<br>睡房<br>厨房<br>洗手间<br>浴室<br>厕所<br>车库<br>书房<br>客厅<br>餐厅<br>阳台<br>前花园<br>后花园 | ② 家具 | 衣柜<br>书架<br>桌子<br>书桌<br>椅子<br>沙发<br>茶几<br>单／双人床<br>鞋柜<br>床头柜<br>碗柜 | ③ 电器 | 电视机<br>电冰箱（雪柜）<br>洗衣机<br>计算机（电脑）<br>录音机<br>录像机<br>冷气机<br>台灯<br>照相机 |

| ④ 问路 | 地址<br>向左拐<br>往右拐<br>一直往前走<br>往回走 | 走五分钟<br>过马路<br>十字路口<br>丁字路口<br>坐 3 站 | 交通警<br>看到红绿灯，向右转<br>在第一个路口向左拐<br>坐 8 路公共汽车<br>转车／换车／倒车 |

菜市场

银行

医务所

学校

教堂

电影院

公共厕所

公园

⑤ 公共设施 ｛ 儿童乐园

体育馆

旅馆

酒店

邮政局

警察局

图书馆

书店

汽车站

火车站

飞机场

青少年活动中心

⑥ 商店 ｛

超（级）市（场）

商场　　　　　干洗店

百货商店　　　糕饼店

专卖店　　　　音像商店

便利店　　　　眼镜店

礼品店　　　　药店

钟表店　　　　饭店

理发店　　　　快餐店

修鞋店　　　　小吃店

花店　　　　　咖啡馆

照相馆　　　　茶馆

家具店　　　　服装店

文具店　　　　体育用品商店

灯具店　　　　电器商店

玩具店　　　　乐器商店

洗衣店　　　　厨房用品商店

2. Measure words

    (1) 一棵树    (2) 一张画儿    (3) 一把椅子    (4) 一架钢琴

    (5) 一壶茶    (6) 一辆车    (7) 一间卧室

3. Verbs

    希望    添加    管    拐    建议    抓    做梦

    打算    录音    录像    搬家    收拾

4. Adjectives and adverbs

    齐全    方便    本来    自动    开心    实用    刚好

    根本    总算

5. Grammar

    (1) 得      (a) 我得先做作业，然后再出去玩。

    (2) 着      (a) 灯开着呢。

             (b) 桌上放着一个暖壶。

    (3) 不但……，而且……

             (a) 他不但会说中文，而且会画中国画。

    (4) 被      (a) 他被蛇咬了一口。

    (5) 才      (a) 她昨晚九点才到家。

6.  **Questions and answers**

(1) 你家住什么样的房子？　　　楼房。

(2) 你能告诉我你家的地址吗？　　我家住中山路78号。

(3) 你家有几间卧室？　　有三间卧室。

(4) 你有没有自己的房间？你房间里有什么？

我有自己的房间。我的房间里有一张床、一张书桌和一个书架等等。

(5) 你在家做家务吗？　　有时候做。

(6) 你家附近交通方便吗？

方便。我家离地铁站、汽车站都挺近的。

(7) 你家周围有什么公共设施？

有银行、便利店、小吃店等等。

(8) 你家周围环境怎么样？

不太好，楼很多，车也很多，空气不好。

(9) 你喜欢现在住的地方吗？　　挺喜欢的。

(10) 你这个周末打算做什么？　　可能去租几盘录像带看。

# 测验

## 1 Fill in the blanks with the measure words in the box.

| 棵 | 架 | 壶 | 辆 | 间 | 把 | 张 | 瓶 |
|---|---|---|---|---|---|---|---|

(1) 我家门前停着一 _____ 货车。

(2) 奶奶家的花园里有一 _____ 苹果树。

(3) 酒柜里有一 _____ 酒。

(4) 我家有三 _____ 卧室。

(5) 天上有一 _____ 飞机。

(6) 他家的客厅里放着一 _____ 钢琴。

(7) 厨房的桌子上有一 _____ 茶水。

(8) 我的书房里有一 _____ 书桌、一 _____ 椅子和一个大书架。

## 2 Choose the right word.

(1) 北京的（颐／卧）和园里有很多花草树木。

(2) 你家周围的环（镜／境）怎么样？

(3) 我的房间里有一个大衣（巨／柜）。

(4) 鲁国的（郊／校）外飞来了一只神鸟。

(5) 鲁王下（今／令）抓神鸟。

(6) 我家离（邮／油）局不远。

(7) 学校最近又添了好几台计（鼻／算）机。

## 3 Translation.

(1) 他建议明天去看世界杯足球赛。

(2) 他夜里常做梦。

(3) 小偷被警察抓到了。

(4) 我常帮妈妈收拾房间。

(5) 弟弟每晚睡觉之前都要先把书包收拾好。

(6) 我找了三刻钟才找到李先生的家。

## 4 Study the following map. Then answer the questions.

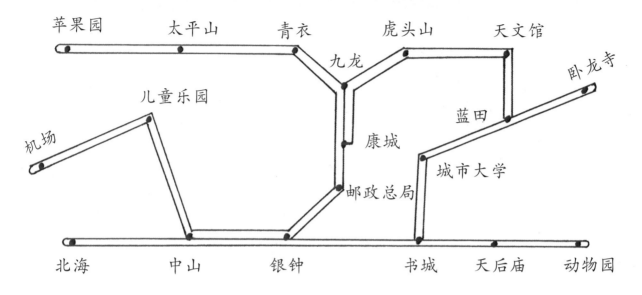

(1) 你现在在银钟，想去虎头山，你怎么去？

(2) 你现在在书城，要去机场，你怎么去？

(3) 你现在在太平山，要去城市大学，你怎么去？

(4) 你在动物园上车，想去儿童乐园，你怎么去？

## 5 Look at the map. Answer the questions.

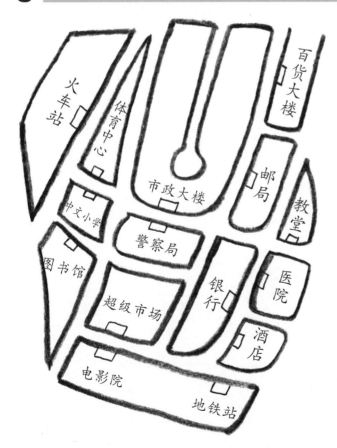

(1) 你从电影院出来，要去邮局，你怎么走？

(2) 你从图书馆出来，要去火车站，你怎么走？

(3) 你从百货大楼出来，要去银行，你怎么走？

(4) 你从酒店出来，要去体育中心，你怎么走？

(5) 你从市政大楼出来，要去地铁站，你怎么走？

**6**   Read the description of the apartment below. Then draw the layout of your apartment / house and describe it in Chinese.

一进门就是我父母的睡房。我的睡房在他们的对面。餐厅在我房间的隔壁。客厅在餐厅的对面。浴室在客厅的隔壁。厕所在浴室的隔壁。浴室的对面是厨房。我们家还有一个后门。

**7**   Answer the following questions.

(1) 你家住在哪儿？

(2) 你家住什么样的房子？

(3) 请你说说你家都有什么房间？

(4) 你自己的房间里有什么？

(5) 你在家里做家务吗？做什么家务？

(6) 你家周围环境怎么样？

(7) 你家周围有什么公共设施？

(8) 你家附近交通方便吗？坐什么车最方便？

(9) 你父母亲希望你以后去哪儿上大学？为什么？

(10) 你下个周末打算怎么过？

(11) 你有没有学过乐器？学过什么乐器？

(12) 你喜欢旅行吗？你去过哪些国家？

## 8 Write two letters to your friends.

(1) Describe your home.

You should include:

— when you moved in

— a description of your house

— a description of your own room

— whether you like or dislike your home

— your home address and telephone number

(2) Describe your neighbourhood.

You should include:

— a description of the environment

— a list of public facilities

— how you use some of the facilities

— transportation to school and other places

— whether you like or dislike your neighbourhood

## 9 Extended reading.

亲爱的父母亲，你们好！

我来到墨尔本工作已经有两年了。两年来我一直跟我的朋友光政合租一个两室一厅的套房。在市区住有好处，也有坏处。好处是交通便利，购物方便，周围有足够的公共设施。坏处是那里没有安静的时候，空气又不清新，人多，车也多。

我最近买了一辆房车，虽然不大，但是一个人住足够了。车上设备齐全：有卧室、浴室、客厅、厨房和一个放杂物的地方。我有一张大沙发床，白天当沙发，晚上当床。我每天早上先开车到火车站，然后坐火车进城上班。晚上我把车停在一棵树下，前面向海，后面靠山，周围安静极了。虽然附近没有什么公共设施和商店，但是我也没觉得不方便。我更喜欢过这种自由自在的生活。我实在不喜欢两个人合住一个套房，我想睡觉，他想听音乐；我想看书，他想看电视。如果你们有空，可以来澳洲看看。我会常写信。

祝身体健康，生活快乐！

儿子：王聪

2001 年 3 月 9 日

Answer the questions.

(1) 王聪刚到墨尔本的时候住在哪儿？

(2) 在市区住，有哪些好处？有哪些坏处？

(3) 王聪现在住在哪儿？他的"房子"里有什么设施？

(4) 王聪每天怎么上班？

# 词 汇 表

## A

| ǎi | 矮 short |
|---|---|
| ānjìng | 安静 quiet |
| ānxīn | 安心 be relieved |
| àn | 岸 bank; coast; shore |
| ànbiān | 岸边 bank; shore |

## B

| bá | 拔 pull out; pull up |
|---|---|
| bámiáo zhùzhǎng | 拔苗助长 spoil things because of a desire for quick success |
| bǎ | 把 preposition; measure word |
| bǎifēnzhīèrshí | 百分之二十 20% |
| bān | 般 sort; kind |
| bān | 搬 move; remove |
| bānjiā | 搬家 move (house) |
| bàn | 伴 companion; partner |
| bànfǎ | 办法 way |
| bāng | 帮 help; assist |
| bàng | 棒 stick; club |
| bàng | 镑 pound (a currency) |
| bāokuò | 包括 include |
| bāozi | 包子 stuffed steamed bun |
| bǎo | 饱 full |
| bào | 报 report; newspaper |
| bàozhǐ | 报纸 newspaper |
| bēi | 杯 cup; trophy; measure word |
| bēigōng shéyǐng | 杯弓蛇影 be extremely nervous and suspicious |
| bèi | 被 preposition; quilt |
| běnguó | 本国 one's own country |
| běnlái | 本来 originally |
| bèn | 笨 stupid; dull; clumsy |
| bǐjìběn | 笔记本 notebook |
| bǐjiào | 比较 compare; relatively |
| bì | 币 currency |
| biàn | 变 change; become |
| biànchéng | 变成 turn into |
| biànhuà | 变化 change |
| biàn | 便 convenient; then; as soon as |
| biànlìdiàn | 便利店 convenience store |

| bié | 别 other; don't |
|---|---|
| biérén | 别人 other people |
| bīngxiāng | 冰箱 refrigerator |
| bǐnggān | 饼干 biscuit |
| bìng | 病 ill; disease |
| bìngjiàtiáo | 病假条 certificate for sick leave |
| búdàn... érqiě... | 不但……，而且…… not only..., but also... |
| búguò | 不过 but; however |
| bǔ | 补 mend; patch; repair |
| bǔkè | 补课 make up a missed lesson |
| bù | 布 cloth |
| bùdébù | 不得不 have to |
| bùxíng | 不行 won't do; not work |

## C

| cái | 才 just; only |
|---|---|
| càidān | 菜单 menu |
| càihuā | 菜花 cauliflower |
| cān | 餐 food; meal |
| cāntīng | 餐厅 dining hall; restaurant |
| cānkǎoshū | 参考书 reference book |
| cǎo | 草 grass; straw |
| cǎoméi | 草莓 strawberry |
| cè | 册 volume |
| chá | 察 examine |
| chà | 差 fall short of; wrong; poor |
| chǎn | 产 give birth to; produce; estate |
| cháng | 肠 intestines |
| chángjiàn | 常见 common |
| chāo | 超 super-; extra- |
| chāojí shìchǎng | 超级市场 supermarket |
| chǎo | 炒 stir-fry |
| chǎomiàn | 炒面 fried noodles |
| chēkù | 车库 garage |
| chéng | 成 accomplish; become; succeed |
| chéngrén | 成人 adult |
| chéngshì | 城市 town; city |
| chǐ | 尺 1/3 meter; ruler |
| chǐzi | 尺子 ruler |
| chōng | 冲 rush; rinse |
| chūchǎn | 出产 produce; manufacture |

| | | | |
|---|---|---|---|
| chūshòu | 出售 sell | diǎn | 点 put a dot |
| chūyuàn | 出院 be discharged from hospital | diǎncài | 点菜 order dishes |
| chú | 厨 kitchen | diǎnxīn | 点心 light refreshments; pastry |
| chúfáng | 厨房 kitchen | diànshǎn léimíng | 电闪雷鸣 lightning accompanied |
| chǔ | 楚 clear | | by thunder |
| chǔguó | 楚国 the State of Chu | diàntī | 电梯 lift; elevator |
| chuāntòu | 穿透 pierce | diànyǐngpiào | 电影票 movie ticket |
| chuán | 传 pass on | diào | 掉 fall; drop; lose |
| chuāng | 窗 window | dīng | 丁 man |
| cí | 词 word | dīngzì lùkǒu | 丁字路口 T- junction |
| cídiǎn | 词典 dictionary | dìng | 定 surely |
| cōng | 聪 acute hearing | dōngnányà | 东南亚 Southeast Asia |
| cōngming | 聪明 intelligent; bright | dòngshǒu | 动手 start work |
| cóng nàtiān qǐ | 从那天起 from that day on | dòngshǒushù | 动手术 have an operation |
| cóngqián | 从前 before; in the past | dòu | 斗 fight |
| cùn | 寸 21/2 centimeters | dòu | 豆 beans; peas |
| | | dòufu | 豆腐 bean curd |
| | | dòujiāng | 豆浆 soya-bean milk |
| | D | dù | 肚 belly; abdomen; stomach |
| | | dùzi | 肚子 belly; abdomen |
| dá | 答 answer; reply; respond | duì niú tánqín | 对牛弹琴 address the wrong au- |
| dǎ bāzhé | 打八折 give 20% discount | | dience |
| dǎdòu | 打斗 fight | dùn | 盾 shield |
| dǎsuàn | 打算 plan; intend | duōshaoqián | 多少钱 how much |
| dàdōu | 大都 mostly; largely | duǒ | 朵 measure word |
| dàduō | 大多 mostly; mainly | | |
| dàjiā | 大家 all; everybody | | |
| dàliàng | 大量 a large number of; a great | | E |
| | quantity | | |
| dàshēng | 大声 loudly | è | 饿 hungry; starve |
| dàyuē | 大约 about | ér | 而 but; yet; while |
| dān | 单 single; list | értóng | 儿童 child |
| dānrénchuáng | 单人床 single bed | értóng yóulèchǎng | 儿童游乐场 children's play- |
| dàn | 蛋 egg | | ground |
| dànbáizhì | 蛋白质 protein | ěrduo | 耳朵 ear |
| dāngshí | 当时 then; at that time | | |
| dāngtiān | 当天 the same day | | F |
| dāo | 刀 knife | | |
| dāokǒu | 刀口 cut | fāshāo | 发烧 have a fever |
| dào | 倒 pour; reverse | fāxiàn | 发现 discover; find |
| dàoyǐng | 倒影 inverted reflection in water | fāngbiàn | 方便 convenient |
| dàoli | 道理 reason | fāngxiàng | 方向 direction |
| de | 地 particle | fáng | 防 fat |
| dédào | 得到 get; receive | fángjiān | 房间 room |
| děi | 得 need; have to | fǎng | 仿 imitate; be like |
| dēng | 灯 lamp; lantern | fàngxia | 放下 lay down; put down |
| dìtiězhàn | 地铁站 underground station | fèi | 费 fee; expenses |
| dìzhǐ | 地址 address | fēn | 分 1/100 of a yuan |

**193**

| | | |
|---|---|---|
| fèn | 份 | share; portion; measure word |
| fū | 肤 | skin |
| fǔ | 腐 | bean curd; rotten |
| fù | 付 | pay |
| fù | 富 | rich |
| fùrén | 富人 | rich person |

### G

| | | |
|---|---|---|
| gān | 干 | dry; dried food |
| gǎn | 赶 | catch up with; rush for |
| gǎnkuài | 赶快 | at once; quickly |
| gǎndòng | 感动 | be moved |
| gǎnmào | 感冒 | common cold |
| gàn | 干 | do; work |
| gàn shénme | 干什么 | what to do |
| gānghǎo | 刚好 | just; happen to |
| gāngqínjiā | 钢琴家 | pianist |
| gāo | 膏 | paste; cream |
| gāobǐng | 糕饼 | cake; pastry |
| gāodiǎn | 糕点 | cake; pastry |
| gè | 各 | each; every; different |
| gè gè | 各个 | each; every; various |
| gèzhǒng gèyàng | 各种各样 | all kinds of |
| gēn | 根 | root; measure word |
| gēnběn | 根本 | at all; simply |
| gǒu | 狗 | dog |
| gòu | 够 | enough; sufficient |
| gù | 顾 | attend to; visit |
| gùkè | 顾客 | customer |
| guā | 瓜 | melon |
| guà | 挂 | hang; put up |
| guǎi | 拐 | turn |
| guài | 怪 | strange |
| guānxīn | 关心 | care for |
| guǎn | 管 | pipe; manage |
| guàn | 罐 | jar; pot; tin; measure word |
| guǐ | 鬼 | ghost |
| guì | 柜 | cupboard |
| guì | 贵 | expensive; valuable; your |
| guódū | 国都 | national capital |
| guǒ | 果 | fruit; result |
| guǒjiàng | 果酱 | jam |
| guǒrán | 果然 | as expected |

### H

| | | |
|---|---|---|
| hǎidàisī | 海带丝 | shredded kelp |
| hán | 含 | contain |
| hǎoxiàng | 好像 | seem; be like |
| hàoqí | 好奇 | curious |
| hē | 喝 | drink |
| hé | 盒 | box; case |
| héfàn | 盒饭 | box lunch |
| hòulái | 后来 | afterwards; later |
| húluóbo | 胡萝卜 | carrot |
| hú | 壶 | kettle; pot; measure word |
| hǔ | 虎 | tiger |
| huā | 花 | spend; flower |
| huāfèi | 花费 | expenses |
| huāshēngmǐ | 花生米 | shelled peanut |
| huàlóng diǎnjīng | 画龙点睛 | add the touch that brings a work of art to life |
| huàshé tiānzú | 画蛇添足 | do something entirely unnecessary |
| huài | 坏 | bad; go bad |
| huàirén | 坏人 | bad person |
| huán | 环 | ring; hoop |
| huánjìng | 环境 | surroundings; environment |
| huàn | 换 | exchange; change |
| huángguā | 黄瓜 | cucumber |
| huángyóu | 黄油 | butter |
| huídá | 回答 | answer; reply |
| huǒtuǐ | 火腿 | ham |
| huò | 或 | or; either...or... |
| huò | 货 | goods; money |
| huòbì | 货币 | currency |
| huòwù | 货物 | goods; commodity |

### J

| | | |
|---|---|---|
| jī | 鸡 | chicken |
| jīdàn | 鸡蛋 | egg |
| jītāng | 鸡汤 | chicken soup |
| jītuǐ | 鸡腿 | drumstick |
| jīqìrén | 机器人 | robot |
| jí | 极 | extreme; pole |
| jí le... | 极了 | extremely |
| jí | 集 | gather; country fair |
| jíshì | 集市 | country fair; market |
| jí | 急 | anxious |

| | | | |
|---|---|---|---|
| jíxìngzi | 急性子 an impetuous person | jū | 居 reside; residence |
| jì | 记 remember; mark; sign | jūmín | 居民 resident |
| jìhào | 记号 mark; sign | jú | 桔 tangerine |
| jì | 技 skill | júzi | 桔子 tangerine |
| jìqiǎo | 技巧 skill | júzizhī | 桔子汁 orange juice |
| jì | 计 calculate; meter | jú | 局 office; bureau |
| jìsuànjī | 计算机 computer | jǔ | 举 hold up; lift; deed |
| jiācháng | 家常 daily life of a family | jù | 巨 huge; gigantic |
| jiāju | 家具 furniture | jù | 具 utensil; tool |
| jià | 价 price; value | juǎn | 卷 curly |
| jià | 架 shelf; measure word | juǎnbǐdāo | 卷笔刀 pencil sharpener |
| jiān | 坚 hard; firm; strong | juǎnfà | 卷发 curly hair; wavy hair |
| jiānyìng | 坚硬 hard; solid | juǎnxīncài | 卷心菜 cabbage |
| jiānlì | 尖利 sharp; piercing | | |
| jiāng | 浆 thick liquid | | **K** |
| jiāo | 蕉 broadleaf plants | | |
| jiāo | 交 cross; hand over | kāfēi | 咖啡 coffee |
| jiāotōng | 交通 traffic | kǎpiàn | 卡片 card |
| jiāo | 郊 suburbs; outskirts | kāixīn | 开心 feel happy |
| jiāowài | 郊外 the countryside around a city | kāiyào | 开药 prescribe medicine |
| jiǎn | 减 subtract; reduce | kànchulai | 看出来 make out; see |
| jiǎnjià | 减价 reduce the price | kànjian | 看见 see |
| jiǎo=máo | 角＝毛 1/10 of a yuan | kāng | 康 health |
| jiàn | 剑 sword | kāngfù | 康复 recover |
| jiàn | 健 healthy; strong | kǎo | 烤 bake; roast |
| jiànkāng | 健康 health; healthy | kǎoyā | 烤鸭 roast duck |
| jiàn | 建 build; set up; propose | kē | 棵 measure word |
| jiànyì | 建议 suggest; propose | ké | 咳 cough |
| jiàng | 酱 sauce; paste; jam | késou | 咳嗽 cough |
| jiào | 较 compare; fairly | kě | 渴 thirsty |
| jiàocài | 叫菜 order dishes | kě'ài | 可爱 lovely |
| jiàomài | 叫卖 hawk | (kěkǒu) kělè | （可口）可乐 Coke |
| jiàoshēng | 叫声 noise; cries | kè | 克 overcome; gram |
| jiēzhe | 接着 carry on | kètīng | 客厅 living room |
| jiémù | 节目 programme | kè zhōu qiújiàn | 刻舟求剑 act without regard to changing circum- stances |
| jiè | 借 borrow; lend | | |
| jīn | 金 gold; golden; money | kù | 库 storehouse |
| jīnhuángsè | 金黄色 golden yellow | kuàicān | 快餐 fast food |
| jīng | 睛 eyeball | kuàilè | 快乐 happy |
| jǐng | 警 alert; warn; alarm | kuài=yuán | 块＝元 yuan |
| jǐngchá | 警察 police | kuāng | 框 frame |
| jìng | 境 boundary; area | kuàng | 矿 mine |
| jìng | 静 still; calm | kuàngwùzhì | 矿物质 mineral |
| jìng | 镜 mirror; lens; glass | kuò | 括 include |
| jiǔ | 久 for a long time | | |
| jiùshishuō | 就是说 that is to say | | |
| jiù | 旧 old; used | | |

## L

| | | |
|---|---|---|
| lǎobǎixìng | 老百姓 | civilians |
| lǎohǔ | 老虎 | tiger |
| lào | 酪 | thick fruit juice; fruit jelly |
| lèi | 累 | tired |
| lèihuàile | 累坏了 | exhausted |
| lěngpán | 冷盘 | cold dish |
| lěngyǐn | 冷饮 | cold drink |
| lí | 梨 | pear |
| lǐ bái | 李白 | (701-762) a famous poet in the Tang Dynasty |
| lǐpǐnzhǐ | 礼品纸 | wrapping paper |
| lǐwù | 礼物 | gift; present |
| lǐzi | 李子 | plum |
| lì | 立 | stand; set up |
| lìkè | 立刻 | immediately |
| liàn | 练 | practise |
| liànxíběn | 练习本 | exercise-book |
| liǎng | 俩 | two |
| liàng | 辆 | measure word (for vehicles) |
| lín | 邻 | neighbour |
| línjū | 邻居 | neighbour |
| líng | 龄 | age; years |
| líng | 零食 | snacks |
| língshí | 令 | command; cause; season |
| lìng | 另 | other; another |
| lìngwài | 另外 | in addition; besides |
| liáng | 量 | measure |
| liáng tǐwēn | 量体温 | take sb.'s temperature |
| lóngxiā | 龙虾 | lobster |
| lǔ | 鲁 | stupid; rough; surname |
| lǔguó | 鲁国 | the State of Lu |
| lù | 录 | record |
| lùxiàng | 录像 | video |
| lǚ | 旅 | travel |
| lǚguǎn | 旅馆 | hotel |
| luó | 萝 | trailing plants |

## M

| | | |
|---|---|---|
| mǎshàng | 马上 | at once; immediately |
| máo | 矛 | spear |
| máodùn | 矛盾 | contradictory |
| mào | 冒 | emit; send out |
| méi | 莓 | certain kinds of berries |

| | | |
|---|---|---|
| měiyuán | 美元 | U.S. dollar |
| mèng | 梦 | dream |
| mǐ | 米 | meter; rice |
| miànbāo | 面包 | bread |
| miàntiáo | 面条 | noodles |
| miáo | 苗 | young plant; seedling |
| miào | 庙 | temple |
| mín | 民 | the people |
| míng | 鸣 | ring; sound |
| míngbai | 明白 | understand |
| míngpái | 名牌 | famous brand |
| mìng | 命 | life; fate |
| mó | 磨 | rub; wear; grind |
| módāoshí | 磨刀石 | grindstone |
| mó | 模 | pattern; imitate |
| mófǎng | 模仿 | imitate |
| mǒ | 抹 | put on; apply |

## N

| | | |
|---|---|---|
| nàli | 那里 | that place; there |
| nǎilào | 奶酪 | cheese |
| nánguā | 南瓜 | pumpkin |
| nào | 闹 | noisy |
| nàr | 那儿 | there; that place |
| nèi | 内 | inner; inside |
| niánlíng | 年龄 | age |
| niúnǎi | 牛奶 | milk |
| niúròu | 牛肉 | beef |
| nóngmín | 农民 | farmer; peasant |
| nuǎnqì | 暖气 | central heating |

## P

| | | |
|---|---|---|
| pái | 牌 | plate; brand; cards |
| pán | 盘 | plate; dish; measure word |
| pàng | 胖 | fat |
| pídàn | 皮蛋 | preserved duck egg |
| pífū | 皮肤 | skin |
| pián | 便 | convenient; informal |
| piányi | 便宜 | cheap |
| piàn | 片 | thin slice; flake; tablet |
| piào | 票 | ticket; bank note |
| piàojià | 票价 | the price of a ticket |
| piào | 漂 | fail |
| piàoliang | 漂亮 | beautiful |
| píng | 瓶 | bottle; measure word |

| | | |
|---|---|---|
| píngguǒ | 苹果 apple | |
| pútao | 葡萄 grape | |

## Q

| | |
|---|---|
| qí | 奇 strange; rare |
| qíguài | 奇怪 strange |
| qíquán | 齐全 all in readiness |
| qíwáng | 齐王 king of the State of Qi |
| qítā | 其他 other; else |
| qì | 器 utensil; ware |
| qiān | 铅 lead |
| qiānbǐ | 铅笔 pencil |
| qiānbǐhé | 铅笔盒 pencil-case |
| qiānwàn | 千万 be sure to |
| qián | 钱 money; cash |
| qiáng | 墙 wall |
| qiǎo | 巧 skillful; clever |
| qiǎokèlì | 巧克力 chocolate |
| qiě | 且 just |
| qīnzì | 亲自 in person |
| qínshī | 琴师 music master |
| qīng | 青 green; young |
| qīngniánrén | 青年人 young people |
| qīngshàonián huódòng zhōngxīn | 青少年活动中心 youth center |
| qiú | 求 beg; request; seek |
| qū | 区 district |
| qǔ | 曲 song |
| qǔzi | 曲子 song; tune |
| què | 却 but; yet |

## R

| | |
|---|---|
| rènao | 热闹 lively; bustling with noise; excitement |
| rénmínbì | 人民币 RMB |
| rènchu | 认出 recognize; identify |
| rènwéi | 认为 think; consider |
| rìcháng shēnghuó | 日常生活 daily life |
| rìjì | 日记 diary |
| rìjìběn | 日记本 diary |
| rìyòngpǐn | 日用品 articles of everyday use |
| rìyuán | 日元 yen |
| ròu | 肉 meat; flesh |
| ròupiàn | 肉片 sliced meat |
| rúguǒ | 如果 if |

| | |
|---|---|
| rújīn | 如今 nowadays |

## S

| | |
|---|---|
| sānmíngzhì | 三明治 sandwich |
| sānwényú | 三文鱼 salmon |
| sǎng | 嗓 throat; voice |
| sǎngzi | 嗓子 throat; voice |
| sǎngziténg | 嗓子疼 sore throat |
| shā | 沙 sand |
| shālā | 沙拉 salad |
| shā | 杀 kill; slaughter |
| shāsǐ | 杀死 kill |
| shānjiǎoxia | 山脚下 the foot of a hill |
| shǎn | 闪 flash; sparkle |
| shāng | 伤 wound; injury |
| shāngchǎng | 商场 shopping mall |
| shāngdiàn | 商店 shop; store |
| shāngpǐn | 商品 goods; commodity |
| shāo | 烧 burn; cook; run a fever |
| shé | 蛇 snake |
| shé | 舌 tongue |
| shétou | 舌头 tongue |
| shè | 设 set up |
| shèshī | 设施 facilities |
| shēngāo | 身高 height |
| shén | 神 god; supernatural |
| shēngbìng | 生病 fall ill |
| shēngcài | 生菜 lettuce |
| shēngqì | 生气 angry |
| shēngrén | 生人 stranger |
| shēng | 声 sound; voice |
| shēngyīn | 声音 sound; voice |
| shī | 施 execute |
| shī | 湿 wet; damp; humid |
| shī | 拾 pick up; collect |
| shí | 诗 poetry; poem |
| shífēn | 诗人 poet |
| shí | 食 eat; meal; food |
| shíwù=shípǐn | 食物＝食品 food |
| shírén | 十分 very; extremely |
| shízì lùkǒu | 十字路口 crossroads |
| shíyòng | 实用 practical |
| shì | 市 market; city |
| shì | 柿 persimmon |
| shìchǎng | 市场 market |
| shì | 适 fit; suitable |

| | | |
|---|---|---|
| shìhé | 适合 | fit; suit |
| shōu | 收 | receive; put away; collect |
| shōushi | 收拾 | put in order; pack |
| shǒushù | 手术 | operation |
| shǒuxiarén | 手下人 | subordinate |
| shǒuzhítou | 手指头 | finger |
| shòu | 售 | sell |
| shòu | 瘦 | skinny; slim |
| shòu | 受 | receive; be subject to |
| shòu gǎndòng | 受感动 | be moved by |
| shòushāng | 受伤 | be injured |
| shòu | 寿 | longevity; life |
| shòusī | 寿司 | sushi |
| shū | 蔬 | vegetables |
| shūcài | 蔬菜 | vegetables |
| shūfáng | 书房 | study room |
| shūjià | 书架 | bookshelf |
| shūzhuō | 书桌 | desk; writing desk |
| shū | 舒 | stretch; easy |
| shūfu | 舒服 | comfortable; well |
| shǔ | 薯 | potato; yam |
| shǔpiàn | 薯片 | crisps; chips |
| shǔtiáo | 薯条 | French Fries |
| shù | 树 | tree |
| shuāng | 双 | twin; pair (measure word) |
| shuǐguǒ | 水果 | fruit |
| shuǐguǒ pán | 水果盘 | a plate of fruit |
| sī | 丝 | silk; threadlike thing |
| sì | 寺 | temple |
| sìmiào | 寺庙 | temple |
| sìjìdòu | 四季豆 | kidney bean |
| sìzhōu | 四周 | all around |
| sòng | 送 | give as a present; deliver |
| sòng | 宋 | surname |
| sòngguó | 宋国 | the State of Song |
| sòu | 嗽 | cough |
| sù | 素 | plain; vegetable |
| suān | 酸 | sour |
| suānnǎi | 酸奶 | yoghurt |
| suàn | 算 | calculate |
| suī | 虽 | although |
| suīrán... dànshì... | 虽然……，但是…… | although... |
| suǒyǒu | 所有 | all |

## T

| | | |
|---|---|---|
| táidēng | 台灯 | table lamp |
| tāng | 汤 | soup |
| táng | 唐 | surname |
| tángdài | 唐代 | the Tang Dynasty (618-907) |
| táng | 糖 | sugar; sweets |
| tángguǒ | 糖果 | sweets; candy |
| táo | 桃 | peach |
| táozi | 桃子 | peach |
| tàn | 碳 | carbon |
| tànshuǐhuàhéwù | 碳水化合物 | carbohydrate |
| tè | 特 | special; very |
| tèbié | 特别 | special; especially |
| téng | 疼 | ache; pain |
| tī | 梯 | ladder; stairs |
| tǐzhòng | 体重 | weight |
| tiān | 添 | add |
| tiāncháng rìjiǔ | 天长日久 | after a considerable period of time |
| tiāndì | 天地 | world |
| tián | 甜 | sweet |
| tiánshí/pǐn | 甜食（品） | dessert |
| tiěbàng | 铁棒 | iron rod |
| tīng | 厅 | hall |
| tǐng | 挺 | quite; very |
| tóng | 童 | child |
| tóngbàn | 同伴 | companion |
| tóngshí | 同时 | at the same time |
| tóngyì | 同意 | agree |
| tòng | 痛 | ache; pain |
| tōu | 偷 | steal; secret |
| tōu dōngxi | 偷东西 | steal things |
| tóutòng | 头痛 | headache |
| tòu | 透 | penetrate |
| tū | 突 | sudden |
| tūrán | 突然 | suddenly |
| tǔdòu | 土豆 | potato |
| tuǐ | 腿 | leg; ham |
| tuì | 退 | retreat; withdraw |
| tuìhuàn | 退换 | exchange a purchase |
| tuìshāoyào (piàn) | 退烧药（片） | antipyretic |

## W

| | | |
|---|---|---|
| wánjù | 玩具 | toy |

| | | | |
|---|---|---|---|
| wǎn | 碗 bowl; measure word | xiàngkuāng | 相框 photo frame |
| wàn | 万 ten thousand | xiàng | 橡 rubber tree |
| wǎng | 往 toward | xiàngpí | 橡皮 rubber |
| wǎnghuízǒu | 往回走 go backward | xiàng | 向 direction; turn towards |
| wǎngqiánzǒu | 往前走 go forward | xiàngqiánzǒu | 向前走 go forward |
| wǎngyòuguǎi | 往右拐 turn right | xiǎotōu | 小偷 thief |
| wàng | 望 gaze into the distance | xiǎoxīn | 小心 be careful |
| wéi | 维 tie up; maintain | xiē | 些 some |
| wéishēngsù | 维生素 vitamin | xīnxian | 新鲜 fresh; new |
| wéitāmìng | 维他命 vitamin | xìn | 信 believe; letter |
| wěi | 尾 tail | xìnyòngkǎ | 信用卡 credit card |
| wěiba | 尾巴 tail | xíng | 形 form; shape |
| wèile | 为了 for; in order to | xìng | 性 nature; character |
| wénjù | 文具 stationery | xiū | 修 repair; build |
| wò | 卧 lie | xiù | 绣 embroider |
| wòshì | 卧室 bedroom | xū | 需 need; require |
| wú | 无 nothing; there is not | xūyào | 需要 need; want |
| wúxíng | 无形 invisible | xǔ | 许 some; allow |
| wúxíng wúyǐng | 无形无影 invisible | xǔduō | 许多 many |
| wǔxiāng niúròu | 五香牛肉 five-spice beef | xuéfèi | 学费 tuition fees |
| | | xuěbái | 雪白 snow-white |

X

Y

| | | | |
|---|---|---|---|
| xī | 希 hope; rare | | |
| xīwàng | 希望 hope; expect | yā | 鸭 duck |
| xī | 吸 inhale; absorb; attract | yágāo | 牙膏 toothpaste |
| xīyǐn | 吸引 attract | yánzhòng | 严重 serious |
| xīguā | 西瓜 watermelon | yǎn | 眼 eye |
| xīhóngshì | 西红柿 tomato | yǎnjing | 眼睛 eye |
| xīshì | 西式 Western style | yǎnjìng | 眼镜 glasses |
| xǐ'ài | 喜爱 like; love; be fond of | yáng | 杨 poplar (tree) |
| xǐyījī | 洗衣机 washing machine | yáng bù | 杨布 name |
| xià | 吓 frighten; scare | yáng | 羊 sheep |
| xiàba | 下巴 chin | yángròu | 羊肉 lamb; mutton |
| xiàlìng | 下令 order | yángtái | 阳台 balcony |
| xiān | 鲜 fresh; delicious; sea food | yǎng | 养 rest; foster |
| xiān | 纤 fine | yǎngbìng | 养病 recuperate |
| xiānwéi | 纤维 fibre | yàoburán | 要不然 otherwise |
| xiànjīn | 现金 cash | yàoshi | 要是 if; suppose |
| xiāng | 箱 box; case; trunk | yègōng | 叶公 Lord Ye |
| xiāng | 相 each other | yègōng hàolóng | 叶公好龙 professed love of what one does not really understand or even fears |
| xiāngchuán | 相传 according to legend | | |
| xiāngcháng | 香肠 sausage | | |
| xiāngjiāo | 香蕉 banana | yè | 夜 night; evening |
| xiāngshuǐ | 香水 perfume | yèli | 夜里 at night |
| xiàng | 相 look; appearance | yīguì | 衣柜 wardrobe |
| xiàngcè | 相册 photo album | yīwùsuǒ | 医务所 clinic |

| yí | 宜 suitable; ought to |
| yǐ | 椅 chair |
| yǐzi | 椅子 chair |
| yǐwéi | 以为 believe; think |
| yì | 议 opinion; view; discuss |
| yìbān | 一般 ordinary; common |
| yídìng | 一定 surely; certainly |
| yìjǔ liǎng dé | 一举两得 kill two birds with one stone |
| yìtiān dàowǎn | 一天到晚 from morning till night |
| yìxiē | 一些 some |
| yìzhí | 一直 always; straight |
| yìdàlì | 意大利 Italy |
| yǐn | 引 attract; lead |
| yǐnshíyè | 饮食业 catering trade |
| yīngbàng | 英镑 pound sterling |
| yīngcùn | 英寸 inch |
| yíng | 营 seek; operate; camp |
| yíngyǎng | 营养 nutrition |
| yìng | 硬 hard; tough |
| yóu | 邮 post; mail |
| yóu(zhèng)jú | 邮（政）局 post office |
| yóutiáo | 油条 deep fried twisted dough sticks |
| yúshì | 于是 hence |
| yù | 玉 jade |
| yùmǐ | 玉米 corn |
| yùmǐpiàn | 玉米片 corn flakes |
| yù | 浴 bath; bathe |
| yùshì | 浴室 bathroom |
| yuán | 元 yuan, the monetary unit of China |
| yuán | 原 original |
| yuánjià | 原价 original price |
| yuánlái | 原来 as it turns out |
| yuē | 约 arrange; about |
| yuè | 越 jump over |
| yuèláiyuè... | 越来越…… more and more |
| yuè...yuè... | 越……越…… the more... the more... |
| yuè guǎng | 乐广 name |
| yuèqǔ | 乐曲 a piece of music |

**Z**

| zá | 杂 miscellaneous |
| zázhì | 杂志 magazine |
| zǎocān=zǎofàn | 早餐＝早饭 breakfast |

| zài cì | 再次 once more |
| zěnme huíshì | 怎么回事 what happened? |
| zhá | 炸 deep-fry |
| zhái | 宅 residence; house |
| zhàn | 站 station; stop; stand |
| zhǎngxiàng | 长相 looks |
| zháo | 着 feel |
| zháojí | 着急 worry |
| zhào | 照 shine; photo |
| zhàopiàn | 照片 photo |
| zhe | 着 particle |
| zhé | 折 discount |
| zhème | 这么 so; such; like this |
| zhèshí | 这时 at this moment |
| zhèxiē | 这些 these |
| zhèyàng | 这样 so; such; like this |
| zhēnsī | 真丝 silk |
| zhēng | 争 strive; argue |
| zhěng | 整 whole; full; neat |
| zhěngqí | 整齐 tidy; neat; in good order |
| zhī | 之 used to connect the modifier and the word modified |
| zhī | 汁 juice |
| zhī | 脂 fat |
| zhīfáng | 脂肪 fat |
| zhī | 支 pay or draw money; measure word |
| zhīpiào | 支票 cheque |
| zhí | 直 straight |
| zhǐ | 址 location; site |
| zhǐ | 指 finger; point to |
| zhǐ | 志 will; sign |
| zhǐké yàoshuǐ | 治 rule; cure |
| zhì | 止 stop |
| zhì | 止咳药水 cough syrup |
| zhì | 质 nature; quality |
| zhìliàng | 质量 quality |
| zhōngshì | 中式 Chinese style |
| zhǒnglèi | 种类 type; kind |
| zhònggǎnmào | 重感冒 bad cold |
| zhōu | 粥 porridge; congee |
| zhōuwéi | 周围 around |
| zhū | 猪 pig |
| zhūpái | 猪排 pork chop |
| zhǔshí | 主食 staple food |
| zhù | 助 help |
| zhù | 祝 wish |
| zhùyuàn | 住院 be in hospital |

| | | |
|---|---|---|
| zhùzhái | 住宅 | residence |
| zhùzháiqū | 住宅区 | residential district |
| zhuān | 专 | specialize in; expert |
| zhuānmàidiàn | 专卖店 | exclusive shop |
| zhuā | 抓 | grab; seize; catch |
| zhuō | 桌 | table |
| zhuōzi | 桌子 | table; desk |
| zìdòng | 自动 | automatic |
| zìxiāng máodùn | 自相矛盾 | self-contradictory |
| zìzhùcān | 自助餐 | buffet |
| zǒngsuàn | 总算 | finally |
| zuǐ | 嘴 | mouth |
| zuǐba | 嘴巴 | mouth |
| zuìhòu | 最后 | finally |
| zuòmèng | 做梦 | have a dream |